Collection « Les Chemins de la Sagesse »
dirigée par Véronique Loiseleur

Prier dans le secret

THOMAS KEATING

Prier dans le secret

*La dimension contemplative
de l'Évangile*

TRADUIT DE L'AMÉRICAIN
PAR MARIE-NOËLLE MAILLARD

La Table Ronde
7, rue Corneille, Paris 6ᵉ

Les citations bibliques sont tirées de la Bible de Jérusalem (Éditions du Cerf, 1956).

Titre original :
Open Mind, Open Heart,
Continuum, New York.

ISBN : 2-7103-2386-9.

Sommaire

} Résumé

Prière au Saint-Esprit

INSPIRÉE PAR L'HYMNE LATIN

Veni Sancte Spiritus

Viens, Esprit Saint, et envoie des profondeurs de la Trinité un rayon de Ta lumière — cette lumière qui éclaire notre esprit et, en même temps, renforce notre volonté pour que nous continuions à chercher cette lumière.

Viens en nous, père des pauvres, les pauvres de cœur, ceux que Tu aimes, pour les emplir de la plénitude de Dieu.

Tu n'es pas seulement le dispensateur des dons, mais le dispensateur de Toi-même, le don suprême — *le* don du Père et du Fils.

Tu es le consolateur souverain ! Que Ta présence en nous est délectable ! Ta conversation, bien qu'elle soit toute de silence, est la douceur même. Ta consolation est notre réconfort ! Apaisante comme une caresse. En un instant, Tu dissipes le doute et la tristesse.

Dans la lutte contre la tentation, Tu es là, promettant la

victoire. Ta présence *est* notre victoire. Avec douceur Tu amènes notre cœur à Te faire confiance.

Dans cette lutte astreignante pour abandonner notre moi, Tu es le repos — la paix au plus profond de notre âme.

Au cœur de la bataille, Ton souffle est la fraîcheur qui calme nos passions rebelles et apaise nos craintes lorsque tout semble perdu. Tu sèches nos larmes lorsque nous tombons. C'est Toi qui donnes la grâce du repentir et l'espoir certain du pardon.

Ô lumière débordante de bonheur ! Viens remplir jusqu'à l'intime le cœur de Tes enfants fidèles.

Sans Toi, il n'existe en nous aucune vie divine, aucune vertu. Si Ton souffle disparaît, notre esprit périt et il ne peut revivre tant que Tu n'as pas posé Tes lèvres sur les nôtres pour nous insuffler à nouveau la vie.

Ton souffle sur nous est comme la rosée du matin mais il est aussi une force qui nous entraîne ; il est dans la brise la plus légère comme dans le tourbillon le plus impétueux.

Comme une gigantesque explosion, Tu dessèches toutes nos facultés — mais uniquement pour adoucir la dureté de notre cœur.

Tu nous emportes devant Toi comme des feuilles mortes dans le vent d'automne — mais uniquement pour nous établir en sûreté sur la bonne voie.

Comme un grand vent qui approche, déverse maintenant des torrents pour laver nos péchés. Baigne de Ta grâce nos cœurs desséchés. Calme les blessures que Tu as refermées.

À tous ceux qui placent en Toi leur confiance — cette confiance que Toi seul peux conférer — donne Tes sept dons sacrés.

Donne mérite et vertu, c'est-à-dire Toi! Accorde la persévérance jusqu'au dernier jour! Puis la joie éternelle.

Amen.

Introduction

Les Églises chrétiennes se trouvent aujourd'hui dans une situation extraordinaire car de nombreux croyants sincères désirent ardemment vivre la prière contemplative. De ce fait, il est souhaitable que, de plus en plus, les responsables de groupes locaux puissent expliquer l'Évangile à partir d'une expérience personnelle de cette forme de prière. La chose serait possible si la formation des futurs prêtres et ministres du culte mettait sur un pied d'égalité la prière et la spiritualité d'une part, les connaissances théologiques et didactiques d'autre part. La chose serait également possible si l'enseignement spirituel devenait partie intégrante de la formation des laïcs qui exercent une certaine fonction dans leur Église. En tout état de cause, jusqu'à ce que la direction spirituelle devienne une réalité dans les cercles chrétiens, nombreux sont ceux qui continueront à chercher dans d'autres traditions religieuses la vie spirituelle qu'ils ne trouvent pas dans leur propre Église. Un renouvellement total de l'enseignement et de la pratique de la dimension contemplative de l'Évangile rendrait certainement possible la réunion des Églises chrétiennes. Le dialogue avec les autres religions du monde trouverait alors dans l'expérience spiri-

tuelle une base solide de discussion et, ainsi, toutes pourraient témoigner des expériences — spirituelles et humaines
— qui leur sont communes.

L'oraison du silence intérieur est précisément un effort
pour renouveler l'enseignement de la tradition chrétienne
sur la prière contemplative. C'est une tentative pour présenter cette tradition sous une forme moderne et lui appor-
ter, en quelque sorte, ordre et méthode. Tout comme le mot
contemplation, l'expression *oraison du silence intérieur* peut
revêtir différentes significations. Par souci de clarté, nous
réserverons cette expression à la méthode particulière visant
à se préparer au don de la contemplation (voir chapitre III)
et nous utiliserons l'expression traditionnelle *prière contemplative* pour nous référer aux transformations provenant de
l'intervention directe de l'Esprit.

Ce sont des rencontres sur la pratique de l'oraison du
silence intérieur qui sont à l'origine du présent ouvrage ;
celui-ci reprend des questions précises posées par des participants se trouvant à différents stades de leur itinéraire spirituel. Il était évident que les idées exprimées traduisaient
une pratique en cours de développement. Bien entendu, les
problèmes qui se posent après quelques semaines diffèrent
de ceux qui se posent après quelques mois de pratique. De
plus, à une question d'apparence fort simple correspondait
souvent une réponse fort complexe ; était-ce implicite chez
la personne qui posait la question ? Les réponses veulent faciliter le processus d'écoute amorcé par la méthode de l'oraison du silence intérieur. Parallèlement aux présentations plus
théoriques, elles tissent peu à peu une toile de fond permettant d'élaborer la pratique contemplative.

La prière contemplative est un processus de transformation intérieure, une conversation que Dieu engage et qui, si nous y consentons, conduit à l'union divine. Dans ce processus, notre façon de voir la réalité se modifie. Il y a restructuration de la conscience, ce qui nous permet de percevoir la Présence divine en tout, à travers tout et au-delà de tout ce qui existe, d'établir un contact avec cette Présence et d'y répondre avec une plus grande sensibilité.

Ce que la contemplation n'est pas

Bien des gens se font une fausse idée de ce qu'est la contemplation. Nous partirons donc de ce qu'elle n'est pas pour tenter de préciser ce qu'elle est.

En premier lieu, la contemplation n'est pas un exercice de relaxation. Elle peut, certes, être source de détente, mais celle-ci n'est qu'un effet secondaire. La contemplation est avant tout relation et, partant, intentionnalité. Il ne s'agit pas d'une technique mais d'une prière. Lorsque nous disons «Prions», nous voulons dire «Entrons en relation avec Dieu», ou «Approfondissons la relation que nous avons déjà avec Dieu», ou encore «Entretenons notre relation avec Dieu». L'oraison du silence intérieur est un moyen de porter notre relation croissante avec Dieu au niveau de la pure foi. Cette dernière dépasse le niveau mental du moi de la méditation discursive et d'actes particuliers pour parvenir à une contemplation intuitive. L'objet de l'oraison du silence intérieur n'est pas de nous mettre dans un état second, semblable à celui que pourrait produire l'absorption de drogue. Elle n'est pas non plus une forme d'auto-hypnose. Elle est simplement un moyen conduisant à la prière contemplative dont elle est, dans cette perspective, le premier échelon.

En deuxième lieu, la prière contemplative n'est pas un don charismatique. Notre époque connaît un renouveau des charismes énumérés par Paul. Ces dons spirituels sont accordés en vue du bien commun. On peut être à la fois contemplatif et charismatique. On peut aussi ne pas être contemplatif et avoir néanmoins un ou plusieurs dons charismatiques. En d'autres termes, les deux ne sont pas nécessairement liés. La prière contemplative dépend de l'accroissement de la foi, de l'espérance et de l'amour de Dieu ; elle concerne la purification, la guérison et la sanctification de l'âme même et de ses facultés. Les dons charismatiques sont donnés pour le bien de la communauté et peuvent être accordés à des personnes qui ne sont pas nécessairement très avancées sur la voie spirituelle. Le don des langues est le seul qui puisse être octroyé essentiellement pour la sanctification de celui qui en est l'objet. Il est, en quelque sorte, une introduction à la prière contemplative car, lorsqu'on prie en langues, on ne sait pas ce qu'on dit.

Un autre don est la capacité de communiquer l'expérience de *se reposer dans l'Esprit*. Si vous avez déjà vécu une expérience de contemplation, vous le reconnaîtrez comme étant le don du recueillement infus, voire peut-être de l'oraison de quiétude. Si vous le voulez, vous pouvez la refuser. Toutefois, si vous l'acceptez, vous éprouvez une légère suspension de vos facultés sensorielles ordinaires et vous vous affaissez. Si l'on n'a jamais fait l'expérience de ce type de prière, on se laisse tomber avec grand plaisir et on reste par terre aussi longtemps qu'on le peut. J'ai vu, un jour, un jeune homme tomber à la renverse, à l'horizontale, comme s'il faisait un plongeon en arrière dans une piscine. Il rebondit sur un petit banc, atterrit sur le sol avec grand fracas et se releva d'un bond sans la moindre égratignure.

À l'exception du don des langues, les charismes sont manifestement accordés pour le bien d'autrui. Ce sont l'interprétation des langues, la prophétie, le don de guérir, la conduite des affaires, la parole de sagesse et l'enseignement inspiré. Le don de prophétie peut exister chez des personnes qui ne sont pas le moindrement saintes. Un exemple classique est celui du prophète Balaam qui prophétisait ce que le Roi désirait entendre plutôt que ce que Dieu lui avait commandé de dire. À l'époque de l'Ancien Testament, les faux prophètes étaient nombreux. Étant donné que, de nos jours, les dons charismatiques sont fréquents et qu'on a tendance à en faire grand cas, il importe de bien savoir qu'ils ne sont en rien une indication de sainteté ou de la ferveur de la prière. Ils diffèrent de la prière contemplative et ne sanctifient pas automatiquement les personnes qui les possèdent. S'y attacher, c'est, au contraire, entraver son évolution spirituelle. En effet, même dans l'exercice des charismes, le bagage émotionnel ne disparaît pas. Dans la tradition catholique, la voie étroite de la prière contemplative est le plus sûr chemin vers la sainteté ; les dons charismatiques sont accessoires ou secondaires. De toute évidence, si on en possède un, il faut l'intégrer dans sa progression spirituelle. Néanmoins, si on n'en possède pas, il n'y a aucune raison de croire qu'on ne progresse pas. Le processus de transformation s'appuie sur l'accroissement de la foi, de l'espérance et de l'amour de Dieu. La prière contemplative en est le fruit et le favorise. À l'heure actuelle, le renouveau charismatique a grand besoin de l'enseignement traditionnel de l'Église sur la prière contemplative afin que les groupes charismatiques puissent donner une nouvelle dimension à leur relation avec l'Esprit Saint. Leurs réunions de prière devraient comporter des périodes de silence, de sorte que la prière partagée s'enracine dans la pratique du silence intérieur et dans la contemplation. C'est d'ailleurs ce qui se passe dans de nombreux groupes de prière. Si ce développement spirituel ne s'opère pas, les groupes risquent de stagner. Or, dans le cheminement spirituel, il ne peut y avoir d'immobilisme. Ces groupes doivent aller plus loin et la pratique de la prière contemplative peut les y aider.

En troisième lieu, la prière contemplative n'est pas un phénomène parapsychologique, tel que la préconnaissance, la vision d'événements qui se passent au loin, la maîtrise des processus physiques du corps — tels que les battements du cœur ou la respiration —, les expériences au-delà des limites du corps, la lévitation, et autres phénomènes extra-sensoriels ou psychiques. Le niveau psychique de conscience est supérieur à celui du moi mental, qui est le niveau général du développement actuel de l'homme.

Quoi qu'il en soit, les phénomènes psychiques sont un peu comme la décoration d'un gâteau, c'est du superflu. Nous ne devons donc pas surestimer ces dons psychiques, ou penser que la sainteté se manifeste par le truchement de phénomènes psychiques extraordinaires. Certes, la vie de quelques saints a été marquée par de telles manifestations — lévitation, paroles inspirées et visions de toutes sortes. Sainte Thérèse d'Avila et saint Jean de la Croix les ont connues. La tradition chrétienne a toujours conseillé de ne pas exagérer l'importance de ces dons extraordinaires chaque fois que la chose était possible car ils peuvent être un obstacle à l'humilité. On sait par expérience que plus le don est extraordinaire, plus il est difficile de s'en détacher. Or, il est facile de tirer secrètement satisfaction du fait que Dieu vous a doté de dons particuliers, notamment lorsqu'ils sont évidents aux yeux d'autrui.

J'ai récemment noté une augmentation sensible du nombre de personnes faisant l'expérience de dons psychiques. En une seule année, j'en ai rencontré six qui ont connu des expériences au-delà des limites du corps. Lorsqu'elles étaient endormies ou en prière, elles quittaient leur corps et se déplaçaient dans la maison. Un homme vivant au Colorado s'est retrouvé involontairement dans son ancienne maison du Massachusetts. Pour puissants que soient ces phénomènes parapsychologiques, ils ne doivent pas nous laisser dériver ni négliger notre temps de prière. Avec un peu de patience, le phénomène disparaîtra. Si nous pratiquons l'oraison du silence intérieur, mieux vaudrait revenir au mot sacré (1).

Il existe des techniques pour apprendre à maîtriser les fonctions physiologiques telles que la respiration, les battements du cœur et la température du corps. J'ai entendu parler d'un jeune homme qui avait beaucoup lu sur la respiration contrôlée. S'il savait comment s'arrêter de respirer, il avait malheureusement négligé de lire le chapitre sur la façon de reprendre sa respiration et il ne s'est jamais réveillé. Si les phénomènes psychiques vous intéressent, assurez-vous donc de les pratiquer sous la conduite d'une personne compétente.

En fait, les pouvoirs physiologiques ou psychiques extraordinaires semblent des capacités humaines innées que l'on peut développer en pratiquant certaines disciplines. Ils n'ont, cependant, rien à voir avec la sainteté ni avec l'approfondis-

---

(1) Pour le sens précis de cette expression, voir le chapitre v.

sement de notre relation avec Dieu. On aurait tort de les considérer comme les signes d'une grande spiritualité.

Un Franciscain, Joseph de Cupertino, fut, de tous les temps, l'un des champions de la lévitation. Son amour de Dieu était tel que, durant une période de sa vie, la seule mention du mot *Dieu* en sa présence le faisait léviter. Dans une église, il montait jusqu'au plafond, ce qui constituait une source de distraction pour ses frères et pour les fidèles venus prier. Un incident, dont on a établi l'authenticité, vaut la peine d'être mentionné. Les frères voulaient placer une immense croix au sommet d'un clocher d'une trentaine de mètres. Comme il arrive souvent avec les personnes qui lévitent, Joseph poussait un cri de joie en décollant. Après avoir attrapé la croix qui pesait une demi-tonne, il vola jusqu'en haut du clocher, mit la croix en place et revint sur terre. Ses supérieurs n'apprécièrent guère ce comportement insolite et lui ordonnèrent de renoncer à ses prouesses. Dans la manifestation de tout don extraordinaire, même de celui ayant trait à la spiritualité, le moi n'en demeure pas moins présent. Ainsi, lorsqu'on ordonna à Joseph d'arrêter de léviter, il fit une grande dépression. Ce fut véritablement, pour lui, la nuit de l'esprit. Et c'est ce qui fit de lui un saint, non sa possibilité de voler. Laissons cela aux avions et aux oiseaux.

Se servant des moyens que l'homme a souvent du mal à discerner, Dieu permet ou non la manifestation de phénomènes parapsychologiques, selon ce qu'Il juge bon.

Au XIVe siècle, Vincent Ferrer, l'un des grands thaumaturges de son temps, prêchait que la fin du monde était proche. On lui amena, un jour, un homme que l'on portait en terre. Fidèle à son habitude, Vincent profita de l'occasion pour annoncer à ses auditeurs que le monde était sur le point de prendre fin et, pour illustrer ses pouvoirs, déclara qu'il allait ressusciter le défunt. L'homme se leva… mais le monde continua à exister. Toutes les prophéties sont conditionnelles. Dieu n'est pas tenu à mettre Ses menaces à exécution ; Il se réserve le droit de changer d'avis si nous modifions notre façon de vivre. Et le prophète en est souvent pour ses frais ; ce sont les risques du métier.

En quatrième lieu, la contemplation n'est pas un phénomène mystique. J'entends par là extase du corps, visions externes ou internes, mots prononcés effectivement ou dans l'imagination, mots qui s'imposent à l'esprit, lorsque l'un ou l'autre sont l'œuvre d'une grâce particulière de Dieu dans l'âme. Dans *La Montée du mont Carmel*, saint Jean de la Croix envisage tous les phénomènes spirituels possibles, du plus extérieur au plus intérieur, et commande à ses disciples de les rejeter tous. Selon lui, seule une foi pure est l'ultime moyen de parvenir à l'union divine.

Il peut arriver qu'on comprenne mal les visions externes et les voix. Même les saints n'ont pas toujours bien compris ce que Dieu leur disait. Les communications avec Dieu, lorsqu'elles sont d'un type intelligible, doivent passer par le filtre du psychisme humain et du conditionnement culturel. Pour ceux qui empruntent cette voie, ces communications sont probablement authentiques dans 80 p. 100 des cas, mais inauthentiques dans les 20 p. 100 restants. Étant donné qu'il n'est pas possible de dire de quel type relève telle ou telle communication, une interprétation sans discernement risque d'engendrer toutes sortes de problèmes. On ne sait jamais si une communication donnée vient effectivement de Dieu. Et même si c'est le cas, il est quasiment certain qu'elle est déformée par l'imagination, par les idées préconçues et par le bagage émotionnel qui risquent de transformer ou de modifier subtilement la communication. À cet égard, l'histoire de la sainte à qui Dieu avait promis qu'elle mourrait martyre est un exemple classique. Cette personne eut effectivement une sainte mort, mais dans son lit. Mourante, elle fut tentée de dire : « Dieu est-Il fidèle à sa promesse ? » Évidemment qu'Il l'est, mais Il ne garantit pas que nous Le comprenions toujours correctement lorsqu'Il agit au niveau de l'imagination ou de la raison. Dieu voulait dire qu'elle mourrait avec le même degré d'amour qu'un baptême du sang. À Ses yeux, le martyre de la conscience en était l'équivalent. Dieu ne se sent pas lié par une interprétation littérale de Ses messages. Lorsque nous prenons à la lettre l'un d'entre eux, même lorsque ce que nous croyons être une voix du Ciel nous enjoint de faire quelque chose, nous avons de fortes chances de nous tromper. Si nous retournions tout simplement au mot sacré, nous nous épargnerions bien des difficultés.

Les sacrements sont, certes, plus importants que n'importe quelle vision. Néanmoins, il se peut bien que les visions aient un sens précis dans notre vie ; mais, comme saint Jean de la Croix nous l'enseigne, une communication authentique venant de Dieu accomplit son objectif instantanément. Une réflexion plus poussée ne l'améliore pas ; elle risque, au contraire, de la déformer et de lui faire perdre de sa limpidité première. Ceci dit, on peut tout à fait mentionner la chose à un directeur spirituel circonspect pour s'assurer qu'on ne la prend ni trop au sérieux ni trop à la légère. Si Dieu nous dit de faire certaines choses, il est particulièrement important de ne rien faire sans avoir réfléchi sérieusement à la question avec un directeur spirituel avisé.

Les impressions intérieures qu'inspire l'Esprit dans la

prière et vers lesquelles nous nous sentons imperceptible-
ment mais immanquablement aspirés sont, en fait, beaucoup
plus fiables que les visions, le discours, ou le raisonnement.
Plus l'événement est important, plus il faut garder les pieds
sur terre et consulter un directeur spirituel. La volonté de
Dieu n'est pas toujours facile à discerner ; il faut en observer
tous les signes puis prendre une décision. C'est la lutte pour
trouver la certitude qui nous fait mieux percevoir les obstacles qui, en nous, nous empêchent de reconnaître Sa
volonté.

Venons-en maintenant à la question des grâces mystiques.
Ce sont les plus difficiles à discerner parce qu'elles sont intimement mêlées à notre psychisme. Par grâces mystiques,
j'entends le flux de la présence de Dieu en nous ou le rayonnement de Sa présence lorsqu'elle nous prend spontanément
tout entiers. Sainte Thérèse d'Avila et saint Jean de la Croix
ont fort bien décrit les différents niveaux de la prière mystique, à savoir le recueillement infus, l'oraison de quiétude,
l'oraison d'union, l'oraison d'union complète, et enfin, l'union
transformante. Je préfère utiliser les termes *contemplation* et
mysticisme pour exprimer la même chose et pour distinguer
les grâces mystiques de l'essence de la prière mystique. Est-il
possible d'être contemplatif et de parvenir jusqu'à l'union
transformante sans passer par l'expérience des grâces mystiques que nous venons de décrire ?

Cette question m'a toujours laissé perplexe parce que la
contemplation en tant qu'expérience de la grâce de Dieu en
nous est habituellement considérée comme un signe nécessaire de ce don qu'est la prière contemplative. Néanmoins,
je ne cesse de rencontrer des personnes qui, bien que d'une
grande spiritualité, disent n'avoir jamais connu la grâce de

la prière contemplative en tant qu'expérience consciente de
Dieu. Après trente ou quarante ans de vie monastique ou
conventuelle pour devenir contemplatives, elles sont parfois
tentées de penser que leur vie a été un monumental échec.
Arrivées à l'âge de soixante ou de soixante-dix ans, elles pensent qu'en l'absence d'une telle expérience, elles ont dû faire
fausse route quelque part. Voilà donc des personnes qui ont
passé toute leur vie au service du Christ et qui n'ont cependant pas l'assurance intérieure d'avoir eu même la moindre
grâce mystique.

Les premières fois que ces personnes m'ont confié leur
expérience, j'ai pensé qu'elles n'avaient peut-être jamais été
bien instruites de ce qu'est la prière contemplative, ou encore
qu'elles en avaient reçu quelques rudiments tôt dans leur vie
religieuse et qu'elles les avaient oubliés ou qu'elles s'étaient
habituées à la situation. Depuis, j'ai changé d'avis. Je suis
convaincu qu'il est erroné d'identifier l'*expérience* de la prière
contemplative à la prière contemplative elle-même qui transcende toute impression de rayonnement ou de présence
divine. J'ai été heureux de voir mon avis confirmé par Ruth
Burroughs, une carmélite qui a vécu toute sa vie religieuse
sans avoir jamais fait l'expérience consciente du rayonnement de la présence de Dieu. Dans ses *Guidelines to Mysti-
cal Prayer*, elle distingue entre le mysticisme «lumière allu-
mée» *(lights on)* et le mysticisme «lumière éteinte» *(lights
off)*. Cela expliquerait le fait que, pour beaucoup, la voie
contemplative leur est totalement cachée jusqu'à la transformation ultime. Cette carmélite avait deux amies religieuses. L'une, dans un ordre séculier, avait une vie mystique
débordante ; l'autre, cloîtrée, n'avait jamais fait l'expérience
de la prière contemplative bien qu'elle en ait fidèlement pra-

tiqué la discipline pendant quarante ans. En fait, toutes deux sont parvenues à l'union transformante. Ruth Burroughs en déduit que la grâce mystique peut être un charisme donné à certains mystiques pour leur permettre de montrer à d'autres la voie spirituelle. En tout état de cause, son hypothèse repose sur la supposition que l'essence du mysticisme est la voie de la pure foi. Selon saint Jean de la Croix, la pure foi est un rayon de ténèbres pour l'âme. Aucune faculté ne peut la percevoir. Certains éprouveront cette « expérience » au niveau le plus profond sans qu'aucune de leurs facultés ne puisse la percevoir. D'autres ne remarqueront sa présence que par les fruits qui en résulteront dans leur vie. Dieu peut envoyer ce rayon de ténèbres sur quelqu'un qui est fidèle dans la prière sans que cette personne en soit le moindrement consciente. En tout cas, les personnes que je connais qui ont la vie mystique la plus riche sont mariées ou engagées dans un ministère séculier. Moins de 5 p. 100 des contemplatifs cloîtrés que je connais ont eu les expériences mystiques décrites par sainte Thérèse d'Avila ou saint Jean de la Croix. Ils éprouvent généralement la nuit des sens, et d'aucuns éprouvent la nuit de l'esprit; ils ont en fait bien peu de consolations. Ceux qui sont dans le monde ont, sans aucun doute, besoin d'être davantage aidés pour survivre. Il se peut bien que Dieu n'aide pas les cloîtrés de la même façon parce qu'Il estime que la vie derrière la clôture leur offre un soutien suffisant.

Alors, quelle est l'essence de la prière contemplative? La voie de pure foi. Rien d'autre. Point n'est besoin d'en ressentir les effets; mais il faut persévérer.

CHAPITRE II

Les dimensions de la prière contemplative

La prière contemplative est un monde dans lequel Dieu peut tout faire. Y entrer constitue la plus grande aventure qui soit. C'est être ouvert à l'Infini et, partant, à d'infinies possibilités. C'est mettre fin à son propre monde, à celui qu'on se construit. Un monde nouveau apparaît en nous et autour de nous, et l'impossible devient une expérience quotidienne. Pourtant, le monde que la prière révèle est à peine perceptible dans le cours normal des choses.

Chez un chrétien, la vie et le développement de la personne sont fondés sur la foi en sa propre bonté, en l'être que Dieu lui a donné et qui est doté d'un potentiel transcendant. Ce don est notre vrai moi. Notre consentement par la foi permet la naissance en nous du Christ qui ne fait plus qu'un avec ce vrai moi. Notre éveil à la présence et à l'action de l'Esprit est l'accomplissement de la résurrection du Christ en nous.

Toute vraie prière est fondée sur la conviction que l'Esprit est présent en nous et que son inspiration est continue, inépuisable. En ce sens, toute prière est une prière dans l'Esprit. Il semble néanmoins plus précis de réserver le terme *prière dans l'Esprit* à la prière dans laquelle l'inspiration de l'Esprit est donnée directement à notre esprit sans l'inter-médiaire de notre propre réflexion ou d'actes de la volonté. En d'autres termes, l'Esprit prie en nous et nous y consentons. Il est d'usage d'appeler cette prière *contemplation*.

Il faut maintenant distinguer entre *prière contemplative* et *vie contemplative*. La prière contemplative est une expérience ou une série d'expériences conduisant à un état permanent d'union avec Dieu; et il est préférable de réserver l'expression *vie contemplative* à l'état permanent de l'union elle-même avec Dieu, union à laquelle l'Esprit nous fait accéder à la fois par nos prières et par nos actions.

La racine de la prière est le silence intérieur. On peut considérer la prière comme des pensées ou des sentiments exprimés par des mots, mais ce n'est là que l'une de ses formes. Selon Évagre le Pontique, «la prière, c'est repousser toutes les pensées [1]». Cette définition présuppose qu'il *existe* des pensées. La prière contemplative est moins l'absence de pensées que le fait qu'on s'en détache. C'est l'ouverture de l'esprit et du cœur, du corps et des émotions — de tout notre être — à Dieu, Mystère Ultime, au-delà des mots, des pensées et des émotions, autrement dit au-delà du contenu psychologique du moment présent. Nous ne nions ni ne refoulons le contenu de notre conscience. Nous acceptons simplement le fait qu'il s'y trouve quelque chose et allons plus loin, non en faisant un effort, mais en laissant s'estomper tout ce qui s'y trouve.

Selon le catéchisme traditionnel: «La prière est une élévation de l'âme vers Dieu.» Lorsque nous utilisons cette ancienne formule, il importe de ne pas oublier que ce n'est

---

[1] Évagre le Pontique, *De Oratione* 70 (PG 79, 1181C).

pas *nous* qui opérons l'élévation. Dans quelque prière que ce soit, l'élévation de l'âme vers Dieu ne peut être que l'œuvre de l'Esprit. Dans la prière inspirée par l'Esprit, nous nous laissons emporter par le mouvement ascendant et toute réflexion est alors abolie. La réflexion est un important préliminaire à la prière mais elle n'est pas prière. Celle-ci n'est pas uniquement l'offrande des actes intérieurs à Dieu ; elle est aussi l'offrande de nous-mêmes, de qui nous sommes et de ce que nous sommes.

On pourrait comparer l'action de l'Esprit à une gouvernante avisée montrant à des enfants de la rue adoptés par une riche famille comment se comporter dans leur nouvelle demeure. Comme ces enfants recueillis et installés à la table du banquet dans la très belle salle à manger, il nous faudra beaucoup de temps pour apprendre et mettre en pratique les bonnes manières. Étant donné notre origine plébéienne, nous mettrions plutôt nos pieds boueux sur la table, casserions la belle vaisselle de porcelaine et renverserions la soupe sur nous. Afin d'assimiler les valeurs en vigueur dans notre nouveau chez-nous, il faut que nous changions nos attitudes et nos comportements en profondeur. C'est pour cette raison qu'au début nous jugerons peut-être cette gouvernante un peu contraignante, puisqu'elle impose de nombreuses interdictions. Et pourtant, elle semble toujours prête à nous encourager alors même qu'elle nous reprend ; ni jugement, ni condamnation, mais une invitation continuelle à modifier notre vie. La pratique de la prière contemplative est une éducation accordée par l'Esprit.

Notre participation à ce processus éducatif est ce que la tradition chrétienne appelle l'abnégation. Jésus dit : « Si quelqu'un veut venir à ma suite, qu'il se renie lui-même, qu'il se charge de sa croix et qu'il me suive » (Marc 8, 34). Renier notre moi *profond* implique que nous nous détachions du fonctionnement habituel de nos facultés intrinsèques les plus profondes : l'intelligence et la volonté. Cela peut exiger que nous laissions de côté non seulement nos pensées ordinaires durant la prière, mais aussi nos réflexions et nos aspirations les plus ferventes, dans la mesure où nous les considérons comme les moyens indispensables d'aller à Dieu.

L'esprit humain, de par sa nature, simplifie ce à quoi il pense. Ainsi, une seule pensée peut résumer une immense et fertile réflexion. La pensée elle-même devient alors une *présence*, une attention plus qu'une compréhension. Si nous appliquons ce principe à la personne de Jésus, nous voyons que ce type d'attention n'exclut en rien son humanité. Nous tournons simplement notre attention vers la *présence* de Jésus, l'être homme-Dieu, sans nous attarder sur un détail particulier de sa personne.

La prière contemplative n'est pas une stratégie ; c'est une des composantes d'un processus dynamique qui évolue au travers d'une relation personnelle. Parallèlement, une certaine organisation de sa prière et de son mode de vie accélère le processus, tout comme une nourriture équilibrée et des exercices physiques aident les jeunes à grandir et à atteindre leur maturité physique.

L'un des premiers effets de la prière contemplative est la libération des énergies de l'inconscient. Il en résulte deux états psychologiques différents : d'une part expérience d'un développement personnel (consolation spirituelle, dons charismatiques ou pouvoirs psychiques), d'autre part expérience de la faiblesse humaine (profonde humiliation dérivant de la connaissance de soi). La connaissance de soi est l'expres-

sion courante pour désigner la conscience lucide des zones
sombres de sa personnalité. La libération de ces deux types
d'énergies inconscientes a besoin d'être protégée par des
habitudes bien établies de consécration à Dieu et de souci
d'autrui. Autrement, si on éprouve une certaine forme de
consolation ou de développement spirituel, l'orgueil peut
prendre le dessus ; par contre, si la réalisation de son appau-
vrissement spirituel est accablante, on peut tomber dans le
découragement, voire le désespoir. Il est donc indispensable
de cultiver des habitudes de consécration à Dieu et de service des autres si l'on veut stabiliser l'esprit face à des pensées lourdes de toute une charge affective, qu'il s'agisse d'exal-
tation ou de dévalorisation de soi.

S'engager à se livrer à des pratiques spirituelles pour
l'amour de Dieu est le moyen d'intensifier notre consécration à Dieu. Quant au service des autres, c'est l'ouverture du
cœur que suscite la compassion. Il neutralise la tendance profondément enracinée à se soucier surtout de son propre itinéraire spirituel et de ses fruits. L'habitude du service des
autres s'acquiert en essayant de plaire à Dieu par ce que nous
faisons et en manifestant de la compassion pour les autres,
à commencer par ceux avec qui nous vivons. Accepter chacun
tel qu'il est, sans condition, c'est observer le commandement
« Tu aimeras ton prochain comme toi-même » (Marc 12, 31).
C'est une bonne façon de porter les fardeaux les uns des
autres (Galates 6, 2). Refuser de juger face à la persécution,
c'est respecter le commandement de l'amour du prochain
« comme je vous ai aimés » (Jean 13, 34) et de donner sa vie
pour ses amis (Jean 15, 13).

Les habitudes de consécration à Dieu et de service des
autres sont les deux rives d'un chenal entre lesquelles les

énergies de l'inconscient peuvent être relâchées sans submerger la psyché dans un flot surabondant d'émotions chaotiques. Au contraire, lorsque ces énergies s'écoulent normalement entre les rives de la consécration à Dieu et du service des autres, elles nous élèvent à un niveau supérieur de perception spirituelle, de compréhension et d'amour désintéressé.

Ces deux pratiques stabilisantes préparent le système nerveux et le corps à recevoir la lumière purifiante et sanctifiante de l'Esprit. Elles nous permettent de discerner les pensées et les émotions à mesure qu'elles se font jour, avant qu'elles n'atteignent le stade de la fixation ou de la quasi-obsession. À mesure que nous nous libérons de la servitude des pensées et des désirs habituels, nous pouvons entrer dans la prière contemplative avec un esprit paisible.

Le détachement est l'objectif du renoncement à soi. C'est l'attitude non possessive envers toute la réalité, celle qui frappe à la racine du faux moi. Le faux moi est une illusion monumentale, le poids de schémas habituels de pensée et de courants émotionnels stockés dans le cerveau et le système nerveux. Tout comme les logiciels d'un ordinateur, ils se réactivent chaque fois qu'une situation particulière de la vie enclenche le mécanisme correspondant. Le faux moi insinue même que ses objectifs subtils ont un mobile religieux. Une attitude religieuse authentique vient de Dieu, pas du faux moi. Par le biais de la prière contemplative, l'Esprit guérit les racines de l'égocentrisme et devient la source de notre activité consciente. Pour agir spontanément sous l'influence de l'Esprit et non sous l'influence du faux moi, la programmation émotionnelle doit être éliminée et remplacée. Il est d'usage d'appeler *pratique de la vertu* cet effacement de l'ancien programme et la mise en place d'un nouveau fondé sur les valeurs de l'Évangile.

Dans Sa divinité, Jésus est la source même de la contemplation. Lorsque la présence divine nous envahit de façon irrésistible, nous sommes, au plus profond de nous, inéluctablement conduits à la contemplation. C'est la situation des apôtres au mont Tabor, lorsqu'ils sont témoins de la gloire resplendissante de Dieu qui se manifeste à travers l'humanité de Jésus. Ils tombent face contre terre. Néanmoins, l'expérience que nous avons de Dieu n'est pas Dieu car Dieu est tel qu'en Lui-même. Nous ne pouvons pas faire l'expérience de Dieu en Lui-même, de façon empirique, conceptuelle ou spirituelle, car Il est au-delà de toute expérience. Cela ne veut pas dire qu'Il n'est pas *dans* des expériences saintes, mais Il les *transcende*. Pour traduire cela différemment, Il nous conduit, par le biais d'expériences saintes, à faire l'expérience du néant. Tout ce que nous percevons de Dieu ne peut être qu'un rayonnement de Sa présence et non Dieu tel qu'Il est en Lui-même. Lorsque la lumière divine frappe l'esprit humain, elle se décompose en de multiples aspects, tout comme un rayon de lumière ordinaire, lorsqu'il traverse le prisme, se diffracte pour donner les couleurs du spectre. Percevoir les différents aspects du Mystère Ultime n'est certes pas un mal mais ce serait une erreur de les confondre avec la Lumière inaccessible. L'attirance permanente de l'Esprit réside dans le renoncement aux consolations spirituelles pour laisser Dieu agir en nous en toute liberté. Plus notre renoncement est profond, plus la présence de l'Esprit se fait forte. Le Mystère Ultime devient la Présence Ultime.

L'Esprit parle à notre conscience par les Écritures et par les événements de notre vie quotidienne. Réfléchir à ces deux sources de rencontre personnelle et au démantèlement du bagage émotionnel prépare la psyché à écouter avec une attention plus subtile. L'Esprit peut alors s'adresser à notre conscience à partir de cette source profonde qui est en nous et qui est notre vrai moi. C'est la contemplation à proprement parler. *i.e., l'esprit qui s'adresse à notre conscience – c'est la contemplation.*

La Transfiguration illustre parfaitement cette démarche. Jésus prend avec Lui les trois disciples qui étaient le mieux préparés à recevoir la grâce de la contemplation ; c'est-à-dire ceux qui étaient le plus avancés sur la voie de la transformation du cœur. Dieu va à leur rencontre par leurs sens, grâce à une vision sur la montagne. Ils sont tout d'abord stupéfaits et ravis. Pierre veut rester là pour toujours. Soudain, un nuage les recouvre, masquant la vision et laissant leurs sens vides et silencieux, attentifs pourtant et vigilants. La chute face contre terre traduit très précisément leur état d'esprit. C'est à la fois un geste d'adoration, de gratitude et d'amour. La voix venant du ciel réveille leur conscience à la présence de l'Esprit qui leur a toujours parlé au-dedans d'eux-mêmes mais que, jusque-là, ils étaient incapables d'entendre. Leur vide intérieur est rempli de la présence lumineuse de Dieu. Jésus les touche ; alors ils recouvrent leurs esprits et Le voient comme Il était auparavant, avec toutefois la conscience transformée de la foi. Désormais, ils ne Le voient plus comme un simple être humain. Leurs facultés réceptrices et actives ont été unifiées par l'Esprit ; le Verbe de Dieu, intérieur et extérieur, ne fait plus qu'un. Pour ceux qui sont parvenus à cette conscience, la vie quotidienne est une révélation permanente et croissante de Dieu. Les mots qu'ils entendent dans l'Écriture et dans la liturgie confirment ce qu'ils ont appris par la prière qui est contemplation.

CHAPITRE III

La prière contemplative dans la tradition chrétienne

*A*u cours des quinze premiers siècles de l'ère chrétienne, on eut, envers la contemplation, une attitude positive. Malheureusement, à partir du XVIᵉ siècle, c'est une attitude négative qui a prévalu. Il s'avérera sans doute utile, afin de mieux comprendre la situation dans laquelle se trouvent les Églises d'aujourd'hui en matière d'expérience religieuse, de brosser un tableau général de la prière contemplative.

Le mot *contemplation* est ambigu car il a pris, avec les siècles, différents sens. Pour insister sur la connaissance de Dieu résultant de l'expérience, la bible grecque utilisait le mot *gnosis* qui traduisait l'hébreu *da'ath*. Ce dernier terme est beaucoup plus fort puisqu'il suppose une connaissance intime sollicitant toute la personne et pas simplement l'esprit.

Dans ses Épîtres, saint Paul a repris le mot *gnosis* pour parler de cette connaissance de Dieu particulière réservée à ceux qui L'aiment. Il demandait constamment à ses disciples de parvenir à cette connaissance intime et priait à cette intention, comme s'il s'agissait d'un élément indispensable au plein développement de la vie chrétienne.

Les pères de l'Église grecque, notamment Clément

d'Alexandrie, Origène et Grégoire de Nysse, empruntèrent le terme *theoria* aux néoplatoniciens. Celui-ci signifiait à l'origine la vision intellectuelle de la vérité, que les philosophes grecs considéraient comme étant l'activité suprême du sage. À ce terme technique les pères de l'Église grecque ajoutèrent la signification de l'hébreu *da'ath*, cette connaissance acquise par expérience et qui résulte de l'amour. Ce fut avec cette conception élargie du terme que *theoria* fut traduit en latin par *contemplatio* et parvint jusqu'à nous dans la tradition chrétienne.

À la fin du VIe siècle, saint Grégoire le Grand résuma cette tradition en décrivant la contemplation comme étant la connaissance de Dieu pénétrée d'amour. Pour saint Grégoire, la contemplation est le fruit de la réflexion sur la Parole de Dieu dans les Écritures et, en même temps, un don de Dieu. C'est un *repos* en Dieu. Dans ce repos ou cette quiétude, l'esprit et le cœur ne Le recherchent pas activement mais commencent à appréhender, à ressentir ce qu'ils cherchent. Ceci les met dans un état de paix intérieure profonde. Cet état n'est pas la suspension de toute action mais l'association de quelques actes simples de la volonté pour maintenir son attention tournée vers Dieu grâce à l'expérience aimante de Sa présence.

Jusqu'à la fin du Moyen Âge, la contemplation garda ce sens de connaissance de Dieu fondée sur l'expérience intime de Sa présence. Les disciplines ascétiques étaient toujours dirigées vers la contemplation, objectif proprement dit de tout exercice spirituel.

Dans les premiers siècles du christianisme, la méthode de prière proposée aux laïcs comme aux moines et aux moniales était la *lectio divina*, littéralement «lecture divine», pratique

qui supposait la lecture des Écritures, ou plus exactement son
écoute. Moines et moniales répétaient les mots du texte sacré
avec les lèvres afin que le corps lui-même puisse y participer.
Ils cherchaient, par cette *lectio divina*, à faire en sorte que l'attention intérieure puisse «écouter» plus profondément encore.
La prière était leur réponse à ce Dieu qu'ils écoutaient dans
les Écritures et louaient dans la liturgie.

La réflexion elle-même sur le texte sacré s'appelait *medi-
tatio*, ou méditation. Le mouvement spontané de la volonté
en réponse à ces réflexions s'appelait *oratio*, ou oraison affective. À mesure que se réduisaient ces réflexions et ces actes
de la volonté, on parvenait à un état de repos en Dieu présent et ce stade se nommait *contemplatio*, ou contemplation.

Ces trois actes — méditation discursive, oraison affective et contemplation — pouvaient survenir au cours de la
même période de prière. Ils s'interpénétraient. Comme les
anges montant et descendant l'échelle de Jacob, on s'attendait à ce que l'attention monte et descende l'échelle de la
conscience. Parfois, on priait le Seigneur avec les lèvres, parfois avec les pensées, parfois avec des actes de la volonté, et
parfois avec l'attention intense propre à la contemplation.
Celle-ci était considérée comme l'aboutissement normal de
l'écoute de la Parole divine. La démarche vers Dieu n'était
pas compartimentée en méditation discursive, oraison affective et contemplation. Ce n'est qu'au XVIe siècle que l'expression *oraison mentale*, avec ses différentes catégories, appa-
rut dans la tradition chrétienne.

Vers le XIIe siècle, avec la fondation des grandes écoles
de théologie, la pensée religieuse marqua un net tournant.
Ce fut la naissance de l'analyse précise pour ce qui est des
concepts, de la division en genres et en espèces, ainsi que

l'établissement des définitions et des classifications. Cet accroissement de nos facultés d'analyse constitua une étape primordiale dans l'évolution de l'esprit humain. Malheureusement, cette passion pour l'analyse devait plus tard, en théologie, gagner l'exercice de la prière, ce qui mit fin à l'oraison simple et spontanée pratiquée au Moyen Âge et fondée sur la *lectio divina*, avec son ouverture sur la contemplation. Les grands maîtres spirituels du XIIᵉ siècle — Bernard de Clairvaux, Hugues et Richard de Saint-Victor, et Guillaume de Saint-Thierry, par exemple — préconisèrent une conception théologique de la prière et de la contemplation. Au XIIIᵉ siècle, ce furent les Franciscains qui répandirent des méthodes de méditation fondées sur leur enseignement.

Aux XIVᵉ et XVᵉ siècles, la Peste noire et la guerre de Cent Ans décimèrent les villes et les villages, ainsi que les communautés religieuses, tandis que le nominalisme et le Grand Schisme entraînèrent une décadence générale de la morale et de la spiritualité. Vers 1380, un mouvement de renouveau spirituel, *Devotio moderna*, prit naissance aux Pays-Bas et se répandit en Italie, en France et jusqu'en Espagne, en réponse à un besoin général de réforme. À une époque où les institutions et les systèmes de toutes sortes s'effondraient, la *Devotio moderna* chercha à utiliser le pouvoir moral issu de la prière comme moyen d'autodiscipline. À la fin du XVᵉ siècle, on mit au point des méthodes d'oraison mentale, qualifiées ainsi à juste titre, qui devinrent de plus en plus complexes. Pourtant, malgré la prolifération de ces manières systématiques de prier, la contemplation restait l'ultime objectif de la pratique spirituelle.

Tout au long du XVIᵉ siècle, on en vint à faire les distinctions suivantes concernant l'oraison mentale : si les pen-

sées étaient prédominantes, on parlait de méditation discursive ; si, au contraire, on insistait sur les actes de la volonté,
on parlait d'oraison affective ; enfin, si les grâces insufflées
par Dieu prédominaient, c'était la contemplation. Il ne s'agissait plus de stades différents que l'on pouvait retrouver dans
une même période d'oraison, mais de formes distinctes de
prière ayant chacune son but, sa méthode, son propos. C'est
cette division de l'évolution de la prière en unités compar-
timentées, totalement indépendantes les unes des autres, qui
a favorisé la propagation de la notion incorrecte que la
contemplation était une grâce extraordinaire réservée à
quelques privilégiés. La prière pouvant déboucher sur la
contemplation était considérée comme très improbable. Le
cheminement naturel qui allait de la prière à la contemplation n'entrait dans aucune des catégories reconnues et était
de ce fait fortement déconseillé.

Alors que la tradition vivante de la contemplation chrétienne disparaissait, la vie spirituelle s'est trouvée confron-
tée aux nouvelles idées de la Renaissance. Ni le milieu social
ni les institutions religieuses ne soutenaient plus la personne.
Le besoin se faisait sentir de reconquérir le monde pour le
Christ face aux éléments païens qui envahissaient la chré-
tienté. Il n'est pas surprenant que de nouvelles formes de
pensées soient apparues, davantage orientées vers un ministère apostolique. L'insistance nouvelle sur la vie apostolique
exigeait une transformation des formes de spiritualité jusqu'alors transmises par les moines et par les ordres men-
diants. Le génie et l'expérience contemplative d'Ignace de
Loyola le conduisirent à donner à la tradition contemplative, qui risquait de disparaître, une nouvelle forme, mieux
adaptée à cette époque.

La connaissance des *Exercices spirituels de saint Ignace*, écrits entre 1522 et 1526, est essentielle si l'on veut comprendre la situation actuelle de la spiritualité dans l'Église catholique. Les *Exercices spirituels* proposent trois manières de prier : la méditation discursive, la contemplation et l'application des sens. Les méditations discursives prescrites pour la première semaine sont basées sur les trois puissances, à savoir mémoire, entendement et volonté. La mémoire permet de se rappeler le point choisi auparavant comme sujet de méditation. L'entendement permet de réfléchir sur les leçons que l'on souhaite retirer de ce point. La volonté permet de prendre des résolutions en vue de mettre les leçons en pratique. On est ainsi conduit à réformer sa vie.

Le mot *contemplation*, tel qu'il est utilisé dans les *Exercices*, revêt un sens différent du sens classique. Il s'agit ici de visualiser mentalement un objet concret ; par exemple, voir les personnes de l'Évangile comme si elles étaient présentes, entendre ce qu'elles disent, s'associer et réagir à leurs paroles et à leurs actions. Cette manière, prescrite pour la deuxième semaine, vise à cultiver l'oraison affective.

La troisième manière de prier proposée dans les *Exercices* fait appel aux cinq sens. Elle consiste à appliquer successivement en esprit les cinq sens au thème de la méditation. Cette manière vise à préparer les commençants à la contemplation au sens traditionnel du terme et à développer les sens spirituels chez ceux qui sont déjà avancés dans la prière contemplative.

Ainsi, saint Ignace ne proposait pas qu'une seule manière de prier. La tendance fâcheuse à limiter les *Exercices spirituels* à la méditation discursive semble venir des Jésuites eux-mêmes. En 1574, Éverard Mercurian, préposé général des

Jésuites, dans une directive adressée à la province espagnole de la Compagnie, interdit la pratique de l'oraison affective et de l'application des sens. Cette interdiction fut réitérée en 1578. La vie spirituelle d'une partie importante de la Compagnie de Jésus était ainsi limitée à une seule manière de prier, à savoir la méditation discursive selon les trois puissances. Pendant tout le XVIIIe et le XIXe siècle, le caractère essentiellement intellectuel de cette méditation continua à prendre de l'importance dans l'ensemble de l'ordre. La plupart des manuels de spiritualité répandus jusqu'à une période très avancée du XXe siècle limitaient l'instruction aux schémas de la méditation discursive.

Pour bien comprendre l'impact de cette évolution sur l'histoire récente de la spiritualité catholique, il faut conserver à l'esprit l'influence décisive des Jésuites qui furent de remarquables artisans de la Contre-Réforme. De nombreuses congrégations religieuses fondées dans les siècles qui suivirent adoptèrent les Constitutions de la Compagnie de Jésus. Elles ont de ce fait hérité de la spiritualité enseignée et pratiquée par celle-ci mais aussi des limitations imposées, non par saint Ignace, mais par des successeurs moins éclairés.

Saint Ignace souhaitait assurer une formation spirituelle qui constituerait un excellent antidote contre le nouvel esprit individualiste et profane de la Renaissance ainsi qu'une forme de prière contemplative adaptée aux besoins apostoliques de son temps. Les *Exercices spirituels* étaient conçus pour former des contemplatifs actifs. Étant donné l'immense et salutaire influence de la Compagnie de Jésus, si elle avait autorisé ses membres à suivre les *Exercices* selon l'intention première de saint Ignace, ou si elle avait accordé plus d'importance à ses propres maîtres dans le domaine de la contemplation comme les pères Lallemant, Surin, Grou et de Caussade, la situation de la spiritualité chez les catholiques serait sans doute de nos jours tout à fait différente.

Par ailleurs, les autorités ecclésiastiques hésitèrent à encourager la prière contemplative en raison d'événements qui se produisirent alors. L'un d'entre eux fut la querelle du quiétisme, doctrine religieuse s'appuyant sur un certain nombre de propositions condamnées en 1687 par Innocent XI puis en 1699 par Innocent XII comme étant une espèce de faux mysticisme. Les propositions condamnées étaient ingénieuses. Il s'agissait de faire une fois pour toutes un acte d'amour pour Dieu par lequel on s'en remettait entièrement à Lui, avec l'intention de ne jamais revenir sur cet abandon total. Dans la mesure où l'on ne revenait jamais sur l'intention d'appartenir entièrement à Dieu, l'union divine était assurée et aucun effort n'était désormais nécessaire, ni dans la prière ni en dehors d'elle. On ne semble pas alors avoir relevé la distinction importante entre une intention affirmée une fois pour toutes, si généreuse qu'elle fût, et sa mise en application quotidienne.

La France de la fin du XVIIᵉ siècle vit se répandre une forme modérée de quiétisme. Bossuet, évêque de Meaux et aumônier à la cour de Louis XIV, en fut l'un des principaux adversaires et réussit à la faire condamner. Il est difficile de vérifier s'il en exagéra l'importance. En tout cas, la querelle jeta le discrédit sur le mysticisme traditionnel. Dès lors, dans les séminaires et les communautés religieuses, les lectures portant sur le sujet faisaient froncer les sourcils. Dans son ouvrage *Histoire littéraire du sentiment religieux en France*, Henri Bremond précise qu'aucun écrit mystique d'importance ne parut au cours des quelques siècles qui suivirent.

On ignora les auteurs mystiques du passé. On alla jusqu'à penser que certains passages de saint Jean de la Croix étaient empreints de quiétisme ce qui força ses éditeurs à atténuer le ton, voire à éliminer certaines déclarations de peur qu'elles ne soient mal interprétées ou condamnées. Ce n'est qu'au xxᵉ siècle que parut la version non expurgée de ses écrits, soit quatre cents ans après leur parution.

Autre revers pour la spiritualité chrétienne, l'hérésie du jansénisme qui se répandit au xviiᵉ siècle. Bien que cette doctrine finît, elle aussi, par être condamnée, il en est resté une méfiance très répandue envers tout ce qui concerne l'humain ; cette attitude négative a traversé les siècles et persiste même de nos jours. Le jansénisme remettait en question l'universalité de l'action salvatrice de Jésus ainsi que la bonté intrinsèque de la nature humaine. La forme pessimiste de la piété à laquelle il donna naissance se répandit avec les émigrés fuyant la Révolution française pour aller s'installer dans des pays anglophones, y compris l'Irlande et les États-Unis. Étant donné que dans ce pays, les prêtres et les religieux sont largement de souche française ou irlandaise, l'étroitesse janséniste, conjuguée avec un ascétisme déformé, affecta profondément le climat psychologique de nos séminaires et de nos ordres religieux. Prêtres, religieux et religieuses se libèrent encore de ce qui reste d'attitudes négatives absorbées au cours de leur formation à l'ascétisme.

L'insistance excessive sur les dévotions privées, les apparitions et les révélations personnelles constitue également une tendance malsaine de l'Église moderne. Cela conduit à la dévalorisation de la liturgie ainsi que des valeurs communautaires et du sens du mystère transcendant qu'engendre une belle liturgie. D'aucuns continuent de considérer les contemplatifs comme des saints, des thaumaturges ou, en tout cas, comme des personnes d'exception. La véritable nature de la contemplation est restée mystérieuse ou on la confond avec des phénomènes tels que la lévitation, les paroles inspirées, les stigmates ou les visions qui, en fait, sont rigoureusement accessoires.

Le XIXe siècle a produit de nombreux saints, mais peu d'entre eux ont parlé ou écrit sur la prière contemplative. Il s'est produit un renouveau de spiritualité dans l'orthodoxie orientale, mais le courant dominant de l'Église catholique était formaliste avec une certaine nostalgie du Moyen Âge et de l'influence politique que l'Église exerçait à cette époque.

Dans son ouvrage *Western Mysticism*, le père Cuthbert Butler résume l'enseignement ascétique auquel on souscrivait généralement aux XVIIIe et XIXe siècles.

> Excepté dans le cas de vocations tout à fait inhabituelles, la prière normale pour tout le monde, y compris pour les moniales et les moines contemplatifs, les évêques, les prêtres et les laïcs, était la méditation systématique qui suivait une méthode déterminée pouvant être l'une des quatre suivantes : la méditation selon les trois puissances telle qu'elle est définie dans les *Exercices spirituels de saint Ignace*, la méthode de saint Alphonse (qui est, en fait, une légère adaptation des *Exercices spirituels*), la méthode décrite par saint François de Sales dans son *Introduction à la vie dévote*, ou la méthode de saint Sulpice. *[Notre traduction.]*

Toutes sont des méthodes de méditation discursive. La contemplation était, en quelque sorte, un phénomène extraordinaire, que l'on considérait comme étant à la fois miraculeux et dangereux et dont les laïcs, les prêtres ou les religieux devaient se tenir à bonne distance.

L'idée qu'il serait présomptueux d'aspirer à la prière

contemplative fut le dernier coup porté à l'enseignement traditionnel. On présenta alors aux novices et aux séminaristes
une vue largement tronquée de la vie spirituelle, qui ne
concordait pas avec l'Écriture, la tradition et la progression
normale dans sa vie de prière. Si on tentait de persévérer
dans la méditation discursive après un appel de l'Esprit à la
dépasser — ce qu'Il fait généralement —, on se retrouvait
inéluctablement dans un état de complète frustration. Il est
normal que notre esprit effectue de nombreuses réflexions
sur un même thème jusqu'à parvenir à une seule vue globale
du tout, puis s'arrête et porte sur la vérité un regard limpide.
Lorsque les gens fervents en arrivaient spontanément à cette
étape de la prière, ils se trouvaient confrontés à cette attitude négative vis-à-vis de la contemplation. Ils hésitaient à
aller au-delà de la méditation discursive ou de l'oraison affective, en raison des avertissements qu'on leur avait donnés sur
les dangers de la contemplation. En fin de compte, soit ils
abandonnaient tout simplement l'oraison mentale comme
étant quelque chose pour laquelle ils n'étaient de toute évidence pas faits, soit ils réussissaient, grâce à la miséricorde
divine, à trouver un moyen de persévérer en dépit de ce qui
semblait des obstacles insurmontables.

En tout état de cause, l'enseignement prodigué après la
Réforme, opposé à la contemplation, était à l'antipode de la
tradition antérieure. Selon cette tradition, enseignée de façon
ininterrompue pendant les quinze premiers siècles, la contemplation était l'évolution normale d'une vie spirituelle authentique et, partant, était ouverte à tous les chrétiens. Ces facteurs historiques peuvent expliquer comment la spiritualité
traditionnelle de l'Occident, au cours des derniers siècles, a

été perdue et pourquoi le concile Vatican II a été amené à examiner le problème aigu du renouveau spirituel.

De nos jours, la prière contemplative fait l'objet d'une attention nouvelle pour deux raisons. La première est la redécouverte de l'enseignement intégral de saint Jean de la Croix et d'autres maîtres spirituels grâce à des études historiques et théologiques ; la seconde est le défi de l'après-guerre venu de l'Orient. Des méthodes de méditation comme celles de la prière contemplative selon la tradition chrétienne ont proliféré, produit de bons résultats et fait l'objet d'une abondante publicité. Selon la Déclaration sur les relations de l'Église avec les religions non chrétiennes *(Nostra aetate)* de Vatican II, il est important d'estimer à leur juste valeur les enseignements des autres grandes religions du monde. Les disciplines spirituelles orientales possèdent une sagesse psychologique éminemment développée. Les chefs de file et les maîtres chrétiens se doivent de les connaître s'ils veulent rencontrer les gens là où ils sont aujourd'hui. Nombre de ceux qui cherchent sérieusement la vérité étudient les religions orientales, suivent des cours sur le sujet dans des collèges et des écoles supérieures, et pratiquent des formes de méditation inspirées et enseignées par des maîtres de ces religions.

Le renouveau de la théologie mystique dans l'Église catholique a commencé en 1896 avec la publication d'un ouvrage intitulé *Les Degrés de la vie spirituelle* de l'abbé Saudreau. Ses recherches sont fondées sur l'enseignement de saint Jean de la Croix. Des études ultérieures ont confirmé la sagesse de ce choix. Saint Jean de la Croix enseigne que la contemplation commence par ce qu'il appelle la nuit des sens. C'est en quelque sorte un no man's land entre sa propre activité et l'inspiration directe de l'Esprit Saint ; il est alors presque impossible d'avoir des pensées qui favorisent une dévotion faisant appel aux sens. C'est une expérience courante chez ceux qui ont pratiqué la méditation discursive pendant assez longtemps. On en arrive à un point où il n'y a plus rien de nouveau à penser, à dire, à ressentir. S'il n'y a pas de nouvelle orientation dans la vie de prière, on ne sait plus quoi faire, excepté peut-être abandonner. La nuit des sens est un processus de progression spirituelle semblable au passage de l'enfance à l'adolescence dans la vie humaine. L'émotivité et la sentimentalité de l'enfance font place à une relation plus adulte avec Dieu. Entre-temps, parce que Dieu n'accorde plus Ses lumières aux sens ou à la raison, ces facultés semblent inutiles. On est de plus en plus convaincu que l'on ne peut plus prier du tout.

Saint Jean de la Croix dit que la seule chose à faire lorsqu'on en arrive là est de rester en paix, d'essayer de ne pas penser, et de demeurer devant Dieu dans la foi en Sa présence, nous tournant continuellement vers Lui comme lorsqu'on ouvre les yeux pour regarder un être aimé.

Dans un passage remarquable de *La Vive Flamme d'amour* ([1]) où saint Jean de la Croix décrit en détail la transition entre la dévotion raisonnable et l'intimité spirituelle avec Dieu, il dit que quand on ne peut plus raisonner de façon discursive ou faire des actes de volonté avec une satisfaction quelconque durant la prière, il faut accueillir cette situation avec sérénité. C'est alors qu'on commencera à ressentir la paix, la tranquillité et la force parce que Dieu nourrit maintenant l'âme directement, donnant Sa grâce à la

---

([1]) Strophe troisième, III-IV.

volonté seule et l'attirant mystérieusement à Lui. Les personnes à ce stade sont très angoissées car elles se demandent si elles ne reculent pas. Elles pensent que tout ce qui leur est arrivé de bon durant les premières années de leur conversion n'existe plus, et si on leur pose des questions sur leur vie de prière, elles lèvent les bras au ciel avec désespoir. En fait, si l'on insiste un peu, elles disent éprouver un grand désir de trouver un moyen de prier et aimer être seules avec Dieu, même si elles n'y trouvent aucune félicité. Il est donc évident qu'il y a une attirance secrète à un niveau profond de leur psyché. C'est l'élément infus de la prière contemplative. L'amour de Dieu est cet élément infus. Si on le laisse se reposer en nous, sans nous agiter, il transformera une étincelle en une vive flamme d'amour.

Saint Jean de la Croix dit que ceux qui se donnent à Dieu entrent très vite dans la nuit des sens. Ce désert intérieur est le début de la prière contemplative, même s'ils n'en ont pas conscience. La relation entre notre propre activité et l'infusion de la grâce est si délicate que, habituellement, on ne la perçoit pas immédiatement. Étant donné que cette nuit des sens se produit fréquemment, il importe qu'un directeur spirituel soit là pour aider la personne à apprécier et à accueillir cette progression et à la reconnaître grâce aux signes proposés par saint Jean de la Croix. Si l'on arrive à dépasser cette période transitoire, on est sur la voie d'un christianisme authentique et engagé car on est entièrement guidé par les dons de l'Esprit.

Ce « très vite » de saint Jean de la Croix veut dire quoi ? Quelques années, quelques mois, quelques semaines ? Il ne le dit pas. Mais l'idée que l'on doive traverser des années d'épreuves surhumaines, être cloîtrés derrière les murs d'un

couvent ou s'évertuer à se livrer à diverses pratiques ascétiques avant de pouvoir parvenir à la contemplation est une
attitude janséniste ou, au moins, une présentation inexacte
de la tradition chrétienne. Au contraire, plus tôt on fera l'expérience de la prière contemplative, plus tôt on percevra la
direction vers laquelle on doit tendre au cours de son itinéraire spirituel. À partir de cette intuition viendra la motivation qui nous amènera à faire tous les sacrifices nécessaires
afin de persévérer le long de cet itinéraire.

Comme nous l'avons indiqué dans l'introduction de cet
ouvrage, des questions posées par des participants lors de
rencontres sur l'exercice de l'oraison du silence intérieur sont
incluses dans les divers chapitres lorsqu'elles sont appropriées. Le paragraphe qui suit constitue la première de ces
questions. Les autres paraîtront au fur et à mesure dans l'ensemble du texte lorsque nous avons jugé qu'elles pourraient
être utiles au lecteur.

> Le Nuage d'inconnaissance (¹) *parle beaucoup de la prépara-*
> *tion à ce mouvement qui fait pénétrer en profondeur dans la prière*
> *contemplative. Son auteur présuppose que cela n'est pas donné à*
> *tout le monde et il indique des signes qui permettent de savoir si*
> *on est appelé ou non. Pourtant, à l'heure actuelle, cela semble offert*
> *à tout un chacun, non seulement par les maîtres de l'oraison du*
> *silence intérieur, mais également par ceux de la méditation orien-*
> *tale. C'est comme si c'était ouvert à tous.*

L'idée que des laïcs puissent emprunter la voie spirituelle

(¹) Ouvrage de mystiques anglais du xive siècle, paru sous le titre *The Cloud of Unknowing* et traduit par Armel Guerne, Seuil 1977.

n'est pas nouvelle. Elle n'a tout simplement pas été répandue au cours du dernier millénaire. Dans la tradition spirituelle des religions du monde, tant en Orient qu'en Occident, on a préféré isoler ceux qui cherchaient, on les a mis dans des endroits particuliers, à l'écart de personnes ayant une vie familiale ou professionnelle. Cette distinction s'estompe peu à peu. Les sages de l'Inde, par exemple, ont commencé à partager leurs secrets avec les gens ordinaires. Jadis, il fallait habituellement aller dans la forêt pour trouver un maître. Aux États-Unis et en Europe occidentale, nous pouvons maintenant trouver de remarquables maîtres appartenant à différentes traditions spirituelles orientales prêts à offrir un enseignement poussé à quiconque se présente ou presque. Il existe malheureusement aussi des manifestations médiocres de ces traditions. Ce dont il faut bien se rendre compte, c'est qu'il existe dans les religions orientales un mouvement visant à mettre des disciplines ésotériques à la portée de personnes menant une vie ordinaire.

Dans la tradition chrétienne, au IIIe siècle, Origène, principal représentant de l'école théologique d'Alexandrie, considérait la communauté chrétienne dans le monde comme étant le lieu naturel de l'ascèse. Ce ne fut que par l'exemple d'Antoine et le rapport qu'en fit Athanase que la pratique de quitter le monde devint la voie normale, pour un chrétien, de parvenir à l'union divine. Antoine n'avait pas l'intention d'en faire une seule et unique voie mais, lorsqu'il se produit des mouvements de masse, il s'ensuit un phénomène de vulgarisation qui peut fossiliser, voire caricaturer. Il faut alors que déferle une vague nouvelle de renouveau spirituel avant de pouvoir faire à nouveau les distinctions qui s'imposent. Et cela peut prendre un temps assez long lorsque les mouvements se sont institutionnalisés. L'essence de la vie monastique ne réside pas dans ses structures, mais dans sa pratique intérieure, et le cœur de la pratique intérieure est la prière contemplative.

Dans *L'Épître de la direction intime*, écrite vers la fin de sa vie, l'auteur du *Nuage d'inconnaissance* reconnaît que l'appel à la prière contemplative est plus courant qu'il ne l'avait originellement pensé. En pratique, je pense que nous pouvons enseigner aux personnes à suivre simultanément deux chemins qui mènent à la prière contemplative, à savoir lire et réfléchir sur la Parole de Dieu dans les Écritures, et avoir des aspirations inspirées par ces réflexions ; ensuite on se repose en la présence de Dieu. Au Moyen Âge, dans les monastères, c'est la façon dont on pratiquait la *lectio divina*. La méthode de l'oraison du silence intérieur insiste sur la phase finale de cette *lectio* car dans les temps modernes c'est celle-là qui a été la plus négligée.

Je suis convaincu que si l'on ne s'est jamais livré à une certaine forme de prière non conceptuelle, celle-ci peut ne jamais se révéler du tout en raison de l'intellectualisme outrancier de la culture occidentale et de la tendance anti-contemplative de l'enseignement chrétien au cours des derniers siècles. De plus, avoir une certaine expérience du silence intérieur est d'une grande aide pour comprendre ce qu'est la prière contemplative. Récemment, on n'a abordé l'enseignement des pratiques ascétiques qu'avec une extrême prudence. On a eu trop tendance à considérer que la prière contemplative était réservée aux religieux cloîtrés.

La prière contemplative soulève une importante question : y a-t-il quelque chose que nous puissions faire pour nous préparer au don de la contemplation, au lieu d'attendre que Dieu fasse tout? D'après ce que je connais des méthodes orientales de méditation, je suis convaincu que nous pouvons effectivement faire quelque chose. Dans les disciplines spirituelles de l'Orient comme de l'Occident, il existe des moyens de parvenir à une paix intérieure qui peuvent aider à se préparer à la prière contemplative.

Quelle est la différence entre lectio divina *et oraison du silence intérieur ?*

La *lectio divina* est une méthode complète de communion avec Dieu, qui commence par la lecture d'un passage de l'Écriture et se poursuit par une réflexion sur ce texte. Celle-ci devient facilement une prière spontanée (parler à Dieu de ce que vous avez lu), puis un repos en Sa présence. L'oraison du silence intérieur est une façon de passer des trois premières phases de la *lectio* à la phase finale qui est le repos en Dieu.

Saint Jean de la Croix et sainte Thérèse d'Avila conseillent de n'arrêter la méditation discursive que lorsque Dieu nous enlève la capacité à la pratiquer. Comment l'oraison du silence intérieur s'inscrit-elle dans cette tradition ?

Une certaine réflexion sur les vérités de la foi en vue d'en acquérir les convictions essentielles — ce qui est le travail de la méditation discursive — est à la base de la contemplation. À l'objection que l'on pourrait introduire la prière contemplative trop tôt, je répondrai que nos contemporains du monde occidental sont mal à l'aise avec la méditation discursive en raison de la propension, héritée de Descartes et de Newton, à analyser les choses au-delà de toute mesure, ce qui a mené au refoulement de nos facultés intuitives. Cette

obsession conceptuelle de la société occidentale moderne
entrave le mouvement spontané de la réflexion à la prière
spontanée, et de la prière spontanée au silence intérieur (mer-
veille et admiration). Je pense que l'on peut faire les trois
simultanément et rester dans la tradition de la *lectio divina*.
Si vous pratiquez celle-ci, vous n'avez pas besoin de respecter un ordre ou un horaire particulier. Vous pouvez suivre
l'inspiration de la grâce, réfléchir sur le texte, faire des actes
particuliers de volonté, ou entrer dans la prière contemplative n'importe quand. Il est évident qu'au début, c'est la méditation discursive et l'oraison affective qui prévaudront, mais
cela n'exclut pas des moments de silence intérieur. Si l'on
encourageait les gens à réfléchir sur l'Écriture et à être totalement présents aux mots du texte sacré, puis à pratiquer
l'oraison du silence intérieur, ils seraient en fait dans la tradition de la *lectio divina*.

*C'est beaucoup plus clair pour moi maintenant. L'oraison du silence
intérieur compense pour ainsi dire l'impossibilité des gens d'aujourd'hui à passer de la* lectio *à la contemplation.*

Tout à fait. C'est un aperçu d'un problème contempo-
rain et un effort pour faire revivre l'enseignement chrétien
traditionnel de la prière contemplative. Toutefois, il est nécessaire de faire plus qu'un simple effort théorique. Il est essentiel de trouver des moyens pour que les gens vivent cette
expérience réelle, de façon à dépasser le préjudice intellectuel qui existe. Ayant noté ce préjudice chez des personnes
qui pratiquent déjà la prière contemplative, je suis convaincu
qu'il est beaucoup plus enraciné dans notre culture que nous
ne le pensons. La ruée vers l'Orient est symptomatique de

ce qui manque en Occident où une faim spirituelle profonde n'est pas rassasiée.

J'ai également remarqué que les personnes ayant parcouru un itinéraire spirituel en Orient se sentent plus à l'aise dans la religion chrétienne lorsqu'elles entendent dire qu'une tradition de prière contemplative y existe. L'oraison du silence intérieur en tant que préparation à la prière contemplative n'est pas une invention récente. C'est davantage un moyen de retrouver l'enseignement traditionnel de la prière contemplative et de la faire mieux connaître. La seule chose nouvelle, c'est d'essayer de la communiquer de façon méthodique. Il faut de l'aide pour y accéder et un suivi pour persévérer et progresser grâce à elle.

Celui qui a déjà reçu la grâce de la prière contemplative peut l'approfondir en prolongeant le silence intérieur de façon logique et ordonnée. C'est dans la pensée de l'approfondissement de ce silence que l'on propose la méthode de l'oraison du silence intérieur.

CHAPITRE IV

Les premières étapes de l'oraison du silence intérieur

Depuis Vatican II, l'Église catholique a encouragé ses fidèles à vivre pleinement leur vie chrétienne sans attendre que les prêtres, les religieux ou quiconque le fassent pour eux. Cela suppose, de la part des laïcs, autant de créativité que de responsabilité, car il leur faut trouver des moyens qui leur permettent de vivre la dimension contemplative de l'Évangile en dehors du cloître. Un cloître ne résout d'ailleurs pas tous les problèmes de la vie ; il existe, en effet, des pièges et des embûches pour les moines et les moniales comme pour les autres.

L'itinéraire monastique implique un type particulier de vie présentant ses propres difficultés. Tout d'abord, il place les relations humaines sous un microscope. Si les épreuves ne sont pas aussi grandes que celles en dehors du monastère, elles peuvent être plus humiliantes. Les moines peuvent s'irriter pour des broutilles et ne peuvent pas même justifier cette irritation en invoquant une bonne raison.

L'union avec Dieu est l'objectif de tout chrétien. Nous avons été baptisés ; nous recevons l'Eucharistie ; nous disposons de tous les moyens nécessaires pour grandir en tant qu'êtres humains et en tant qu'enfants de Dieu. Il est erroné de penser qu'un certain mode de vie soit la seule façon d'y parvenir. Les personnes que je connais et qui sont le plus avancées sur la voie de la prière sont mariées ou exercent un ministère actif, courant toute la journée pour vaquer à leurs occupations.

J'ai fait, il y a quelques années, une conférence devant une assemblée d'organismes laïcs : rencontres pour couples et groupes d'action sociale, instituts séculiers et communautés nouvelles. Elle portait sur la spiritualité monastique, mais au lieu de dire « monastique », j'ai dit « chrétienne ». À ma grande surprise, j'ai noté que la plupart des auditeurs s'identifiaient à cet enseignement traditionnel qui correspondait en fait à leur propre expérience. Leur réaction m'a convaincu davantage encore que l'itinéraire spirituel s'adresse à tout chrétien qui accorde la plus haute importance à l'Évangile.

Les disciplines spirituelles, en Orient comme en Occident, sont fondées sur l'hypothèse suivante : nous pouvons faire quelque chose pour nous engager sur la voie qui mène à l'union divine une fois que nous nous rendons intimement compte que cette union est possible. L'oraison du silence intérieur vise à réduire les obstacles qui se dressent sur le chemin de la prière contemplative. Cette démarche simple correspond à l'attirance actuelle pour des méthodes concrètes. C'est une façon de dépoussiérer les pratiques de la contemplation enseignées par les maîtres spirituels chrétiens du passé et de les amener au grand jour du présent. L'engouement pour la méditation prônée en Orient suffit à prouver, s'il en était besoin, qu'une telle méthode est essentielle de nos jours. Toutefois, l'oraison du silence intérieur n'est pas uniquement une méthode ; c'est aussi une véritable prière. Si vous voulez élargir le sens de l'expression « prière contemplative » pour englober des méthodes qui y préparent ou y conduisent, l'oraison du silence intérieur peut alors être considérée comme étant le premier barreau de l'échelle de la prière contemplative, sur laquelle on s'élève, étape par étape, jusqu'à l'union avec Dieu.

L'oraison du silence intérieur est une méthode qui nous permet d'aiguiser nos facultés intuitives de façon à pouvoir entrer plus facilement dans la prière contemplative. Certes, ce n'est pas le seul chemin vers la contemplation, mais c'est un bon chemin. En tant que méthode, c'est une sorte de condensé de spiritualité monastique. Elle concentre l'essentiel de la pratique monastique en deux temps de prière par jour. Prenons l'exemple d'un antibiotique ; il faut en prendre la dose convenable si l'on veut en retirer tous les avantages, car il faut conserver le nombre requis d'anticorps dans le sang pour pouvoir vaincre la maladie. De même, il faut conserver un certain niveau de silence intérieur dans la psyché et dans le système nerveux si l'on veut retirer tous les bienfaits de la prière contemplative.

En tant que discipline, l'oraison du silence intérieur veut soustraire notre attention du courant habituel de nos pensées. Or nous avons une propension à nous identifier à ce courant. Mais il existe en nous une strate plus profonde et cette oraison ouvre notre conscience au spirituel. On pourrait comparer ce niveau spirituel à un grand fleuve sur lequel reposent nos souvenirs, nos images, nos sentiments, nos expériences intérieures ainsi que la conscience des choses extérieures. Nombreux sont ceux qui s'identifient tellement à ce courant habituel de leurs pensées et de leurs sentiments qu'ils n'ont pas conscience de leur source. Comme des bateaux ou des épaves flottant au fil de l'eau, nos pensées et nos sentiments doivent reposer sur quelque chose : et c'est sur le courant profond de la conscience, qui relève de l'essence de Dieu. La conscience ordinaire ne le perçoit pas immédiatement. Étant donné que nous ne sommes pas en contact immédiat avec ce courant profond de la conscience, il nous faut faire quelque chose pour y être de plus en plus sensibles. C'est le niveau de notre être qui nous rend le plus humain. Les valeurs que nous y trouvons sont plus admirables que celles qui se trouvent à la surface de notre psyché. Nous avons besoin, tous les jours, de nous rafraîchir à ce niveau profond. Tout comme nous avons besoin d'exercices, de nourriture, de repos et de sommeil, nous avons également besoin de moments de silence intérieur parce que ce sont eux qui nous rafraîchissent le plus profondément.

La foi est l'ouverture à Dieu et l'abandon en Lui. L'itinéraire spirituel ne demande pas que l'on aille ailleurs puisque Dieu est déjà avec nous et en nous. Ce qu'il faut, c'est permettre à nos pensées ordinaires de s'estomper et de nous laisser entraîner par le fleuve de la conscience sans que nous les remarquions, tandis que nous fixons notre attention sur le fleuve lui-même. Nous sommes comme quelqu'un assis sur la rive, qui regarde passer les bateaux. Si nous restons sur la rive, notre attention se fixera de moins en moins sur ces pensées à la surface de l'eau et nous serons alors dans un état d'attention plus profonde.

Dans le contexte de cette méthode, une pensée est une perception qui apparaît sur le champ intérieur de la conscience. Il peut s'agir d'une émotion, d'une image, d'un souvenir, d'un plan, d'un bruit extérieur, d'un sentiment de paix, ou même d'une communication spirituelle. En d'autres

termes, tout ce qui s'enregistre sur le champ intérieur de la
conscience est une «pensée». La méthode consiste à laisser
s'éloigner, durant la prière, toutes les pensées, même les plus
pieuses.

Pour que cela soit plus facile, prenez une position relativement confortable de sorte que vous n'ayez pas à penser à
votre corps. Choisissez un endroit relativement tranquille
de façon à n'être pas dérangé par un bruit excessif ou inat-
tendu. Si c'est impossible chez vous, essayez de trouver un
temps calme durant lequel vous avez moins de chances de
l'être. Il est bon de fermer les yeux car on a tendance à penser
à ce qu'on voit. Quand les sens ne sont plus sollicités, il est
possible de parvenir à un repos plus profond. Une interruption ou un bruit inopiné — le téléphone, par exemple —
vous fera sursauter. La sonnerie d'un réveil ou d'une minuterie, moyens de vous indiquer que le temps de prière est terminé, ne doit pas être stridente. Si le tic-tac est fort, mettez
le réveil sous un oreiller. Dans la mesure du possible, évitez
les bruits extérieurs. S'il y en a, que cela ne vous inquiète pas.
L'inquiétude est en effet une pensée chargée de tout un passé
émotionnel et elle a toutes les chances de vous faire sortir de
ce silence intérieur auquel vous seriez parvenu. Choisissez
pour prier le moment où vous êtes le plus éveillé et le plus
alerte. Tôt le matin, avant de vaquer à vos occupations habituelles, conviendrait bien.

Une fois que vous avez trouvé un moment et un endroit
favorables, une chaise ou une position relativement confortable, fermez les yeux et choisissez un mot sacré. Ce mot
doit exprimer votre intention de vous ouvrir à Dieu et de
vous abandonner à Lui et introduisez cette intention au
niveau de votre imaginaire. Ne lui donnez aucune forme

audible, ni avec les lèvres ni avec les cordes vocales. Que ce soit un mot d'une ou deux syllabes, qui vous convient. Revenez-y en esprit avec la plus grande douceur chaque fois que vous vous rendrez compte que votre pensée vagabonde.

Le mot sacré n'est pas un moyen d'aller où vous voulez. Il ne fait que diriger votre intention vers Dieu et favorise ainsi un état de conscience où peut s'épanouir la sensibilisation plus profonde à laquelle aspire votre moi spirituel. L'objectif n'est pas de supprimer toute pensée car c'est impossible. En tout état de cause, vous penserez à quelque chose après une minute et demie de silence intérieur à moins que l'action de la grâce ne soit si forte que vous soyez littéralement absorbé en Dieu. L'oraison du silence intérieur n'est pas un moyen de « se brancher » sur la présence de Dieu. C'est plutôt une façon de dire : « Me voici ! » L'étape suivante est entre les mains de Dieu ; ici, c'est un moyen de vous mettre à Sa disposition. C'est Lui qui détermine les conséquences.

Joindre les mains, les doigts dirigés vers le haut vous est un geste sans doute familier : on rassemble symboliquement toutes ses facultés pour les diriger vers Dieu. Le mot sacré a exactement le même but ; c'est un indicateur, mental cette fois et non plus physique. Placez-le en vous sans brusquerie, de la même façon que vous acceptez toute pensée qui se présente spontanément.

Le mot sacré, une fois bien établi, est un moyen de réduire le nombre habituel de pensées et de repousser celles qui, dans le champ de la conscience, se révèlent les plus intéressantes. Il ne procède pas en attaquant directement les pensées mais en réaffirmant votre intention de consentir à la présence et à l'action de Dieu en vous. Ce renouvellement du consentement de la volonté, à mesure qu'il devient habituel, crée

une atmosphère dans laquelle il vous est plus facile d'être
indifférent au courant inévitable des pensées.

Si vous vous sentez un peu nerveux à l'idée de ce qui peut
vous paraître comme étant un « ne rien faire », permettez-
moi de vous rappeler que personne n'hésite à aller dormir
toutes les nuits pendant six ou sept heures. Prier de cette
façon n'est pas ne rien faire. C'est au contraire un type très
doux d'activité. La volonté ne cesse de consentir à la présence de Dieu en retournant au mot sacré, et c'est là une activité suffisante pour rester éveillé et alerte.

Généralement, vingt ou trente minutes constituent la
durée minimale nécessaire pour parvenir au silence intérieur
et dépasser les pensées superficielles. Vous pouvez être enclin
à prolonger ce temps. C'est l'expérience qui vous permettra
de déterminer la durée qui vous convient. À la fin du temps
que vous vous êtes fixé, reprenez le cours normal de vos pensées. C'est peut-être le moment de deviser avec Dieu, de réciter intérieurement et lentement une prière ou de planifier
votre journée. Donnez-vous quelques minutes avant de rou-
vrir les yeux. Occulter les impressions intérieures et extérieures conduit à une profonde concentration spirituelle ; si
donc vous ouvrez les yeux trop vite, cela peut vous ébranler.

À mesure que l'exercice quotidien de cette prière vous
rendra de plus en plus sensible à la dimension spirituelle de
votre être, vous pourrez commencer à ressentir parfois la présence de Dieu dans le courant de vos activités ordinaires.
Vous pourrez vous sentir appelé à vous tourner intérieurement vers Dieu sans savoir pourquoi. Votre vie spirituelle
s'intensifiant, vous pourrez percevoir des vibrations provenant d'un monde qui vous était jusqu'alors étranger. Sans
penser délibérément à Dieu, vous pourrez vous rendre compte

LES PREMIÈRES ÉTAPES DE L'ORAISON...   63

qu'Il est souvent présent dans vos occupations quotidiennes. C'est un peu comme la couleur ajoutée à un téléviseur noir et blanc. L'image reste la même, mais elle acquiert une nouvelle dimension, non perçue auparavant, qui l'améliore énormément. Cette dimension était présente mais non transmise car il manquait l'appareil qui en permettait la réception.

La prière contemplative est une façon de se mettre à l'écoute d'une réalité plus ample qui est toujours présente et dans laquelle nous sommes invités à entrer. Il faut une certaine discipline pour réduire tout ce qui fait obstacle à cette sensibilité élargie. Une possibilité est de diminuer la vitesse à laquelle les pensées ordinaires arrivent dans le champ de la conscience. Si l'on y parvient, les pensées s'espacent, ce qui nous permet d'être sensibles à la réalité sur laquelle elles reposent.

À ce stade de présentation de l'oraison du silence intérieur, je n'examinerai pas les méthodes qui permettent de détendre le corps, l'esprit ou le système nerveux telles que la respiration, le yoga ou le jogging. Ces méthodes sont bonnes pour la relaxation, mais ce qui nous intéresse ici c'est une relation de foi. Cette relation s'exprime en prenant le temps, tous les jours, de s'ouvrir à Dieu, de Le prendre suffisamment au sérieux pour Lui donner un rendez-vous ferme en quelque sorte — rendez-vous auquel on ne saurait manquer. Étant donné que cette forme de prière n'exige pas de réflexion, nous pouvons aller à ce rendez-vous même lorsque l'on est malade.

Dans l'oraison du silence intérieur, l'attitude fondamentale est l'ouverture à Dieu. C'est le mot *patience* qui résume le mieux la pratique chrétienne. Dans le Nouveau Testament, la patience signifie attendre Dieu le temps qu'il faudra, en

restant là et en ne s'abandonnant ni à l'ennui ni au découragement. C'est l'attitude du serviteur qui, dans l'Évangile,
attend, même si le maître de maison a retardé son retour
jusque tard dans la nuit. Lorsque le maître arrive enfin, le
serviteur se voit confier la bonne marche de toute la maisonnée. Si vous attendez, Dieu se manifestera. Il se peut,
bien entendu, que vous attendiez longtemps.

*Je trouve que cette pratique ne me mène nulle part. Est-ce que
c'est une bonne chose de neutraliser ses facultés ?*

Je vous en prie, n'essayez pas de neutraliser vos facultés. Il
doit toujours s'agir d'une activité spirituelle en douceur, qui s'exprime soit en évoquant le mot sacré soit en étant simplement
sensible à la présence de Dieu. Ce vide de pensées, quand on
le ressent, c'est la manifestation très subtile de notre intention.
Cependant, celle-ci doit être vigilante pour prolonger l'état de
disponibilité. On pourrait croire que tout cela va de soi : c'est si
simple à première vue. Mais il faut du temps pour s'initier à
cette manière de prier et il ne faut pas vous inquiéter d'un
« blanc » que vous pourriez connaître de temps en temps. Cette
prière est une façon de vous reposer en Dieu. Si vous notez un
« blanc », retournez tout simplement au mot sacré.

Que faire lorsqu'on se rend compte qu'on a somnolé ?

Si vous avez somnolé, n'y pensez plus. Un enfant dans
les bras de son père ou de sa mère s'endort parfois ; cela n'inquiète pas outre mesure le parent dans la mesure où l'enfant
est paisible et ouvre les yeux une fois de temps en temps.

*J'ai été surpris de la rapidité avec laquelle le temps a passé. C'était
vraiment vingt minutes ?*

Oui. Lorsque le temps passe vite, c'est que vos pensées ont marqué un temps d'arrêt ou presque. Je ne dis pas que c'est la marque d'une bonne prière, car il n'est pas sage de juger un temps de prière sur une expérience psychologique. Vous pourrez parfois être assailli de pensées pendant toute la prière et avoir pourtant vécu un temps très enrichissant, car votre concentration a pu aller plus loin qu'il n'y paraît. Quoi qu'il en soit, vous ne pouvez pas évaluer avec justesse ce qui se passe en vous d'après un seul temps de prière. Il est préférable de considérer les fruits qu'elle porte dans votre vie ordinaire après un ou deux mois. Si vous devenez plus patient avec les autres, plus à l'aise avec vous-même, si vous criez moins souvent ou moins fort après les enfants, si vous vous vexez moins lorsque votre famille se plaint de votre cuisine — voilà des indices que des valeurs nouvelles s'instaurent en vous.

Si vous ne pensez strictement à rien pendant une oraison du silence intérieur, vous n'avez alors aucune conscience du temps. Une telle expérience révèle la relativité de notre sens du temps. Pourtant, notre temps d'oraison ne semblera pas toujours court ; parfois, au contraire, il semblera interminablement long. L'alternance entre la tranquillité et la lutte contre la présence des pensées fait partie d'une dynamique, d'un affinement des facultés intuitives de sorte qu'elles puissent être attentives à ce niveau plus profond de façon de plus en plus stable.

Si on est très fatigué ou somnolent, est-ce que les pensées sont moins nombreuses ?

En général, oui, pour autant que vous ne rêviez pas ! Au monastère, où on se lève à trois heures du matin, on n'a souvent pas les idées très claires à cette heure-là. Cela fait sans doute partie de notre propre méthode : on est si fatigué qu'on ne pense même plus. Il est possible d'avoir la même sensation le soir, après une longue journée de travail. Cela peut aider, pourvu que vous soyez suffisamment alerte pour rester éveillé et ne pas succomber à la somnolence. Ne vous sentez cependant pas coupable si vous vous endormez ; c'est probablement que vous avez besoin d'un peu de sommeil supplémentaire.

D'autre part, essayez de choisir un moment où vous avez le plus de chance de rester alerte de façon à connaître une véritable expérience d'oraison du silence intérieur au lieu de passer tout le temps à dodeliner de la tête. Si vous vous endormez, essayez, lorsque vous vous réveillez, de vous concentrer pendant quelques minutes de plus de façon à ne pas avoir l'impression que votre prière a été un désastre complet dès le début de la journée. Le type d'activité requis est si simple qu'il est facile de somnoler, à moins que l'on ne fasse l'effort minime demandé, en l'occurrence rester alerte. Repenser au mot sacré est un moyen d'y parvenir. Jésus a dit : « Veillez et priez. » C'est bien ce que l'on fait dans l'oraison du silence intérieur. L'état de veille est une activité suffisante pour rester alerte. La prière, c'est l'ouverture à Dieu.

L'oraison du silence intérieur est moins un exercice d'attention que d'intention. Bien saisir la distinction peut prendre du temps. Vous ne prêtez pas attention à un contenu particulier de pensée, mais au contraire vous avez l'*intention* d'aller jusqu'à la partie la plus intime de votre être, là où vous croyez que Dieu a Sa demeure. Vous vous ouvrez à Lui en pure foi, non par le truchement de concepts ou de sentiments. C'est un peu comme si on frappait doucement à la

porte ; il est vain de tambouriner — avec toutes ses facultés
— comme pour dire : « Au nom de la loi, ouvrez ! J'exige que
vous me laissiez entrer. » Nous sommes ici devant une porte
que l'on ne peut forcer ; elle s'ouvre de l'autre côté. Ce que
vous dites, par le biais du mot sacré c'est : « Me voici, j'at-
tends. » C'est un jeu d'attente au énième degré. Rien d'écla-
tant ne va se produire ; et si quelque chose se produisait,
retournez au mot sacré comme si de rien n'était. Même si
vous avez une vision ou si vous entendez des mots infus,
retournez au mot sacré. C'est là l'essence de la méthode.

*J'étais dans un état d'attente. Puis il m'est venu à l'esprit que j'at-
tendais que quelque chose se passe.*

Dans ce type de prière, ne vous attendez à rien. Il faut s'exer-
cer à ne pas faire d'effort, à se laisser aller mentalement. Le fait
même d'*essayer* est une pensée. C'est la raison pour laquelle je
dis : « Retournez au mot sacré aussi simplement que possible »
ou « avec la plus grande douceur, replacez le mot sacré dans votre
conscience ». Lutter, c'est souhaiter parvenir à quelque chose,
c'est-à-dire se projeter dans l'avenir, alors que cette manière de
prier veut vous amener dans le présent. Les attentes aussi concer-
nent l'avenir et sont, de ce fait, également des pensées.

Vider l'esprit de ses habitudes ordinaires de penser est
un processus qu'on ne peut qu'amorcer, tout comme on enlève
le bouchon d'une baignoire ; l'eau s'écoule toute seule, il n'est
pas nécessaire de la pousser ; on lui donne simplement la possibilité de s'écouler. Dans cette prière, vous faites quelque
chose d'un peu semblable. Laissez le fil habituel de vos pensées se dérouler en dehors de vous. Attendre sans attente est
une activité suffisante.

Et les sentiments ? Est-ce qu'on est censé les laisser aller aussi ?

Oui. Dans le contexte de cette prière, ils sont également considérés comme des pensées. Toute perception, quel qu'en soit le type, est une pensée. Même se dire qu'on ne pense pas est une pensée. L'oraison du silence intérieur est un exercice qui consiste à laisser s'estomper toutes les perceptions, non en les repoussant ou en s'en irritant, mais en les laissant partir. Cela vous permet, peu à peu, de favoriser et d'intensifier un état d'attention spirituelle qui est paisible, tranquille et qui emplit votre esprit tout entier.

Est-ce qu'un nombre restreint de pensées va de pair avec une attention profonde ?

Oui. Vous pouvez même ne pas avoir de pensées du tout. Vous êtes alors au niveau le plus profond que vous puissiez atteindre. À ce moment-là, la notion de temps n'existe plus. Le temps, c'est la mesure des choses qui passent. Lorsque rien ne passe, on a un sentiment d'éternité, et c'est merveilleux.

Que faut-il faire par rapport aux bruits extérieurs ?

La meilleure façon de remédier à des éléments que vous ne pouvez maîtriser, c'est de n'y opposer aucune résistance et de ne pas s'en préoccuper. Les éléments extérieurs ne constituent pas des obstacles à la prière ; c'est nous qui le pensons. En acceptant pleinement les distractions extérieures contre lesquelles on ne peut rien, on peut même se rendre compte que l'on est au milieu du plus grand vacarme possible et être néanmoins dans un état d'attention profonde. Considérez les difficultés extérieures de façon positive. La seule chose qu'il faut vraiment éviter, c'est d'omettre votre temps quotidien d'oraison. C'est la seule chose à ne pas faire. Même si ce temps vous semble plein de bruit et que vous avez l'impression d'avoir tout gâché, continuez sans faillir.

Est-il vraiment possible à des personnes qui courent toute la journée d'être contemplatives ?

Oui. Cela ne veut pourtant pas dire qu'on deviendra contemplatif en ne faisant que courir à droite à gauche toute la journée. La condition nécessaire et suffisante pour devenir contemplatif est d'être une personne. Il est vrai que certains styles de vie favorisent davantage la contemplation, mais cette méthode-ci marche bien si vous vous y tenez.

Pouvez-vous dire à des personnes avec qui vous voyagez : « Bon, eh bien maintenant, je vais faire ma méditation » ?

Bien entendu. Elles pourraient d'ailleurs apprécier d'avoir elles-mêmes quelques minutes de calme.

J'ai tout à fait conscience d'essayer de laisser s'estomper mes pensées, mais ce qui se passe c'est que je projette des images qui représentent ma perception de Dieu. Elles sont souvent visuelles. Est-ce que c'est, là aussi, une pensée dont il faut se débarrasser ?

Dans le contexte de cette prière, toute image est pensée. Toute perception qui se manifeste à partir de l'un quelconque des sens, de l'imagination, de la mémoire ou de la raison est une pensée. C'est pourquoi il faut laisser s'estomper toute perception, quelle qu'elle soit. Tout ce qui s'enregistre sur le courant de la conscience finira par disparaître, y compris la pensée de son propre moi. Il s'agit simplement de laisser partir toute pensée. Fixez votre attention sur le fleuve plutôt que sur ce qui passe à sa surface.

Jusqu'à présent, je me suis plutôt concentré sur Dieu par le biais d'une image. Si je supprime cette image, je ne vois pas très bien ce sur quoi je devrais me concentrer. Mon attention est-elle simplement centrée sur le mot que je répète ?

Vous n'avez pas à diriger votre attention sur une pensée particulière, y compris sur le mot sacré. Ce mot n'est qu'un moyen de rétablir votre intention de vous ouvrir à votre vrai moi et à Dieu qui en est le centre. Il n'est pas nécessaire non plus de répéter constamment ce mot. Le silence intérieur est quelque chose que l'on aime goûter naturellement. Vous n'avez besoin de rien forcer car, alors, vous introduisez une pensée ; or toute pensée est suffisante pour vous empêcher d'aller là où vous voulez aller.

Certaines personnes trouvent plus facile de passer à la transcendance en s'appuyant sur une image visuelle plutôt que sur un mot. Si tel est le cas, choisissez-en une qui soit générale, non pas détaillée ; par exemple, tournez votre regard intérieur vers Dieu, comme si vous regardiez quelqu'un que vous aimez.

En vous entendant parler, je me rends compte que j'utilise des images pour m'éviter de tomber en chute libre.

Certaines personnes, lorsqu'elles sont silencieuses, ont l'impression d'être au bord d'une falaise. Mais n'ayez crainte ; il n'y a aucun risque de chute. L'inconnu déconcerte l'imagination. Celle-ci se nourrit d'images ; elle y plonge ses racines à tel point que l'en dissocier n'est pas très facile. Il vous faudra quelque temps de pratique pour vous sentir à l'aise avec cette manière de prier.

CHAPITRE V

Le symbole du mot sacré

Quel que soit le mot que vous choi-sissiez, il est sacré non en raison de son sens, mais en raison de l'intention que vous lui attribuez. Il exprime votre inten-tion de vous ouvrir à Dieu, Mystère Ultime, qui habite en vous. C'est le point de convergence auquel il vous faut reve-nir chaque fois que vous vous laissez entraîner par des pen-sées vagabondes.

Une fois que vous avez trouvé le mot sacré qui vous convient, n'en changez pas ([1]). Si vous voulez vraiment en essayer un autre, faites-le mais n'en essayez pas plusieurs au cours d'un seul temps d'oraison. Le mot sacré est un signe ou une indication de la direction que vous souhaitez prendre. C'est une façon de renouveler votre intention de vous ouvrir à Dieu et de L'accepter tel qu'Il est. Bien entendu, tout cela ne vous empêche pas de prier sous d'autres formes à d'autres moments, mais pendant l'oraison du silence intérieur il n'est pas prévu de prier spécifiquement pour autrui. En fait, en vous ouvrant à Dieu, vous priez implicitement pour tous,

---

([1]) Voici quelques exemples : Dieu, Jésus, Christ, Esprit, Amen, paix, silence, gloire, amour, présence, confiance.

vivants, morts ou à naître. Vous embrassez la totalité de la création. Vous acceptez toute la réalité, à commencer par Dieu et par la partie de votre propre réalité dont vous n'avez généralement pas conscience, à savoir le niveau spirituel de votre être.

Le mot sacré permet de se plonger dans la Source. Les êtres humains ont été créés pour un bonheur et une paix sans limite et, lorsqu'on se rend compte qu'on va dans cette direction, il n'est pas besoin de faire d'effort. La difficulté c'est que, la plupart du temps, on va dans la direction opposée. Nous avons tendance à nous identifier à notre faux moi et à ses problèmes, ainsi qu'au monde qui stimule et renforce ce faux moi.

Le mot sacré n'est ni un véhicule ni une formule qui nous permet de descendre dans les eaux profondes du fleuve. C'est bien plutôt un état mental qui nous aide à le faire. Lorsque je tiens une balle dans la main et que je la lâche, elle va tomber par terre sans que j'aie besoin de la lancer.

De même, le mot sacré est un moyen de laisser s'estomper toutes les pensées. Cela permet à nos facultés spirituelles, attirées qu'elles sont vers le silence intérieur, d'aller spontanément dans cette direction. Cela ne demande aucun effort, simplement le désir profond de laisser de côté nos préoccupations habituelles.

Étant donné que la volonté est conçue pour l'amour infini et l'esprit pour la vérité infinie, s'ils ne rencontrent aucun obstacle, ils auront tendance à s'y diriger. C'est parce qu'ils sont tiraillés de toute part qu'il y a entrave à leur liberté d'aller là où ils iraient naturellement. Durant l'oraison du silence intérieur, ces facultés recouvrent leur liberté.

Ainsi, le mot sacré est un moyen de réduire le nombre

de pensées et de les fondre dans une seule et même pensée d'ouverture à Dieu. Ce n'est pas un moyen de passer d'un désordre de l'imagination au silence, mais c'est un état mental qui nous permet d'entrer dans le domaine spirituel vers lequel nous entraîne la force de la grâce.

L'obstacle principal qui nous sépare de Dieu est la pensée que nous sommes séparés de Lui. Si nous nous débarrassons de cette pensée, nos difficultés s'en trouveront grandement réduites. Nous n'arrivons pas à croire que nous sommes toujours avec Dieu et qu'Il fait partie de toute réalité. Le moment présent, chacun des objets que nous voyons, notre nature la plus intime sont tous enracinés en Lui. Toutefois, nous hésitons à le croire jusqu'à ce qu'une expérience personnelle nous donne la confiance nécessaire pour y croire. Cela suppose que nous approfondissions peu à peu notre intimité avec Dieu. Dieu nous parle constamment, tant au travers des autres qu'en nous-mêmes. L'expérience intérieure de la présence de Dieu stimule notre capacité à Le percevoir dans tout : personnes, événements, nature. Nos sens, tout comme la prière, peuvent nous faire ressentir la joie profonde de l'union avec Dieu.

La prière contemplative est une façon de nous éveiller à la réalité dans laquelle nous sommes immergés. Nous pensons rarement à l'air que nous respirons, et pourtant il est en nous, autour de nous en permanence. De même, à tout instant, la présence de Dieu nous pénètre, nous entoure, nous envahit. Malheureusement, nous ne percevons guère cette réalité-là. L'objectif de la prière, des sacrements et des disciplines spirituelles est précisément de nous y éveiller.

La présence de Dieu est là, à notre disposition, tout le temps, mais il existe en nous un obstacle gigantesque : notre conception du monde. Il faut y substituer Sa conception du monde, l'esprit du Christ. Selon saint Paul, l'Esprit du Christ est nôtre par la foi et par le baptême, mais pour en prendre possession il faut une discipline qui nous rende sensibles à l'invitation du Christ : « Voici que je me tiens à la porte et je frappe ; si quelqu'un entend ma voix et ouvre la porte, j'entrerai chez lui pour souper, moi près de lui et lui près de moi » (Apocalypse 3, 20). Or, ouvrir la porte ne nécessite pas un gros effort.

Nos préoccupations ordinaires reposent sur un système inconscient de valeurs. Certaines pensées nous attirent en raison d'une fixation déterminée par notre bagage émotionnel remontant à l'enfance. Lorsque ces pensées se présentent à notre esprit, tous nos voyants se mettent à clignoter en raison de notre énorme investissement affectif dans les valeurs qu'elles avivent ou menacent. En nous exerçant à laisser s'estomper toutes les pensées et tous les modes de pensée, nous nous libérons peu à peu de nos fixations et de nos compulsions.

Dans la prière contemplative l'Esprit agit en nous et ainsi nous sommes au repos et peu disposés à nous battre. Par ses onctions secrètes l'Esprit guérit les blessures portées à notre humanité fragile à un niveau qui dépasse notre perception psychologique ; c'est un peu comme une personne anesthésiée qui n'a aucune idée de la façon dont l'opération s'est déroulée jusqu'à ce que tout soit terminé. Le silence intérieur est le parfait terreau où l'amour de Dieu peut prendre racine. Dans l'Évangile, le grain de sénevé symbolise l'amour divin, ainsi que le dit le Seigneur. C'est la plus petite de toutes les graines, mais sa capacité de croissance est énorme. L'amour divin a le pouvoir de grandir en nous et de nous transformer. L'objectif de la prière contemplative est de faciliter le processus de cette transformation intérieure.

D'une façon générale, il est plus facile de laisser s'estomper les pensées avec un mot d'une ou deux syllabes. Mais si vous trouvez qu'une image mentale est plus pratique, utilisez-la, pourvu que, bien entendu, vous l'intégriez dans votre esprit et y retourniez chaque fois que vous vous rendez compte que vous pensez à autre chose. L'image mentale doit être générale, non pas nette et précise. Certains trouvent que prier devant le Saint-Sacrement les aide beaucoup. Ils ferment habituellement les yeux et ont simplement conscience de la présence qui les habite au cours de leur prière.

Suivre le rythme de sa respiration est également un moyen de calmer l'esprit. Il faut cependant ici faire une distinction importante. Dans l'oraison du silence intérieur, l'objet n'est pas simplement de laisser s'estomper toutes les pensées, mais d'approfondir notre contact avec la substance même de notre être. C'est l'intentionnalité de la foi qui est primordiale. L'oraison du silence intérieur n'est pas simplement une attention centrée sur une image ou sur un mot particulier, voire sur sa respiration, mais c'est l'abandon de tout son être à Dieu. Ce n'est pas simplement notre nature spirituelle que nous voulons appréhender, ce qui est possible en se concentrant sur une position, sur un mantra, ou un mandala. Cette prière présuppose une relation personnelle ; le mouvement d'abandon de soi est nécessaire. Si, en tant que chrétien, vous avez recours à une méthode physique ou psychologique quelconque pour vous calmer l'esprit, je vous propose de la remettre dans le contexte de la prière. Par exemple, si par vos exercices vous voulez retrouver une âme sereine, faites-les avec l'idée de vous rapprocher de Dieu. L'oraison du silence intérieur n'est pas un exercice de relaxation, bien que cette dernière puisse en résulter ; c'est l'exercice de notre relation personnelle avec Dieu.

En fait, comment se sert-on du mot sacré ?

Le mot sacré est le fait tout simple que vous pensez à un niveau toujours plus profond. C'est la raison pour laquelle vous l'acceptez sous quelque forme qu'il se présente en vous. Le mot sur les lèvres est extérieur et n'entre pas, comme tel, dans ce type de prière ; dans votre esprit, la pensée est intérieure ; le mot, en tant qu'impulsion de votre volonté, va plus profondément encore. Ce n'est que lorsque vous dépassez le mot pour entrer dans la conscience pure que l'intériorisation est achevée. C'est ce que faisait Marie de Béthanie aux pieds de Jésus. Elle allait au-delà des mots qu'elle entendait pour rencontrer la Personne qui parlait et pour entrer en union avec Elle. C'est ce que nous faisons lorsque nous nous asseyons pour pratiquer l'oraison du silence intérieur en intériorisant le mot sacré. Nous allons au-delà du mot lui-même pour entrer en union avec ce vers quoi il nous oriente — le Mystère Ultime, la Présence de Dieu au-delà de toute conception que nous pouvons nous faire de Lui.

Le désir d'aller à Dieu, de nous ouvrir à Sa présence en nous, ne vient pas de nous. Nous n'avons besoin d'aller nulle part pour trouver Dieu, car Il nous attire déjà de toutes les façons possibles à l'union avec Lui. Il s'agit plutôt de s'ouvrir à une action qui se déroule déjà en nous. Consentir à la présence de Dieu *est* Sa présence. Le mot sacré nous dirige au-delà de notre conscience psychique vers notre Source, vers la Trinité qui habite au plus intime de notre être. De plus, Dieu ne s'y trouve pas comme une photographie ou une statue, mais bien comme une présence dynamique. L'objectif de cette prière est de nous faire prendre conscience de la présence active de Dieu au plus profond de nous-mêmes.

Si vous pratiquez cette prière tous les jours pendant quelques mois, vous sentirez vite si ce type d'oraison vous convient ou non. Rien ne remplace l'expérience personnelle. C'est un peu comme apprendre à connaître un nouvel ami; si vous vous rencontrez et échangez fréquemment vos pensées, vous vous connaîtrez plus rapidement. C'est pourquoi nous recommandons deux temps d'oraison par jour; un de préférence tôt le matin et le second avant le dîner. Parfois, la «conversation» vous absorbe tout entier et vous goûtez une certaine paix, un certain délassement. D'autres fois, la conversation ressemble à des résultats de base-ball lorsque vous ne vous intéressez pas du tout à ce sport; vous prenez votre mal en patience parce que ce qui vous intéresse c'est cette personne-là avec ses intérêts propres. Un temps d'oraison d'où l'inspiration est absente ne doit pas vous inquiéter outre mesure si votre objectif à long terme est de cultiver une amitié. La discipline essentielle est de faire de cette prière une activité quotidienne.

Qu'est-ce qu'on fait lorsque les pensées déferlent sans arrêt dans votre esprit pendant le temps d'oraison ?

Lorsque vous commencez à trouver une certaine sérénité, vous vous rendrez peut-être compte que votre tête est remplie de pensées venant de l'extérieur comme de l'intérieur. L'imagination est une faculté en perpétuel mouvement et qui fabrique sans cesse des images. Il faut donc vous attendre à ce que, à ce niveau de votre mémoire et de votre imagination, les pensées affluent. La principale chose est d'accepter ce fait. Personne ne va tomber instantanément dans un océan de paix que rien ne viendra troubler. Vous devez vous accepter tel que vous êtes, et Dieu tel qu'Il est, confiant qu'Il vous conduira d'une façon qui pourra ne pas être toujours confortable mais qui est la meilleure pour vous.

Dans le cas de pensées non désirées, laissez-les simplement passer sans vous en inquiéter outre mesure. Si vous acceptez le fait qu'elles seront nombreuses, vous risquez moins d'être dérouté lorsqu'elles se présenteront. Par ailleurs, si vous avez l'impression que l'objectif de l'oraison du silence intérieur est d'être libre de *toute* pensée, vous serez toujours déçu. Le fait d'être déçu est d'ailleurs une pensée lourde émotionnellement qui détruit immédiatement le silence intérieur auquel vous étiez peut-être parvenu.

Est-ce qu'on doit répéter constamment le mot sacré ?

Pour autant que les pensées s'estompent d'elles-mêmes, vous n'avez pas à penser au mot sacré. Au départ, il est utile d'y retourner afin de l'introduire dans votre subconscient ; il est ainsi plus facile à retrouver durant le temps d'oraison. La règle élémentaire est de laisser toutes les pensées s'éloigner sur le fleuve. Pour autant qu'elles glissent au loin, vous n'avez pas besoin de vous en préoccuper. Mais si vous souhaitez voir ce qu'il y a à bord de l'un des bateaux, repensez au mot sacré. Retrouvez-le en douceur, sans effort.

Si vous venez d'avoir une altercation avec quelqu'un ou si vous avez reçu une mauvaise nouvelle, vous aurez peut-être besoin d'une petite préparation. La lecture de l'Écriture, une promenade ou une course autour du pâté de maisons,

quelques exercices de yoga pourront vous aider à dissiper
votre agitation. L'une des raisons pour prier tôt le matin, c'est *Bene*
que les événements de la journée n'ont pas encore eu le temps
de vous contrarier.

*Pendant un temps particulier d'oraison, est-ce que le mot sacré
disparaît de façon permanente ou seulement temporairement ?*

La paix intérieure, c'est le mot sacré à son niveau le plus
profond. Vous êtes arrivé au bout de votre voyage, là où le
mot sacré vous conduisait. Mais ce n'est habituellement pas
un état permanent. En effet, vous n'arrêterez pas de vous en
éloigner et de devoir y revenir.

*Vous avez dit que c'est moins la répétition du mot sacré qui compte
que l'intention. Je me demande comment on peut conserver l'intention sans répéter le mot. Il me semble que les deux vont ensemble.*

Au début, il est difficile de garder son intention présente
à l'esprit sans revenir continuellement au mot sacré. Cela ne
veut pourtant pas dire que vous devrez toujours le répéter. Il
existe des formes de prière chrétienne, semblables à la pratique du mantra dans la tradition hindoue, qui consistent à
répéter continuellement un mot ayant un sens sacré. Ce n'est
pas la manière de l'oraison du silence intérieur. Dans cette
dernière, vous ne retournez au mot sacré que lorsque vous
remarquez que votre pensée vagabonde. À mesure que vous
vous familiariserez avec cette forme de prière, vous dépas-
serez ce mot pour parvenir à la paix intérieure. C'est alors
que vous constaterez qu'il existe un niveau d'attention au-
delà du mot sacré. Ce dernier est une flèche qui vous indique
la direction à suivre et l'objectif à atteindre. Tant que vous
n'avez pas vécu cette expérience, vous devez continuer à

retourner au mot sacré afin de réaffirmer votre intention lorsque vous constatez que vous pensez à autre chose.

> *Il me semble qu'un mot possède une certaine qualité affective ou évoque une certaine atmosphère. Je me demande s'il faut distinguer deux choses : tenter de rester proche du mot sacré pour voir ce que cette qualité affective devient dans l'oraison du silence intérieur, ou tenter de tout laisser s'estomper — y compris cette qualité affective — dans l'espoir de voir quelque chose arriver en provenance de Dieu.*

Il vaut mieux ne pas s'attarder sur la signification du mot sacré ou sur les associations d'idées qui y sont liées. En fait, il est préférable d'en choisir un qui soit totalement neutre sans aucune connotation affective. Le mot sacré n'est qu'un geste, une expression de votre intention ; il n'a aucune autre signification que votre intention. Le mot que vous avez choisi doit être la simple expression de cette intention, non une source de significations ou d'attirances affectives. Moins le mot suscitera en vous d'évocations particulières, mieux ça vaudra. Ce mot n'est pas une façon d'aller à Dieu ni de trouver le silence intérieur. Il établit plutôt un climat intérieur qui facilite le mouvement de la foi. C'est le mouvement de pure foi qui est au cœur de la prière contemplative, et seul Dieu peut assigner un contenu à ce type de foi.

Vous pourrez en arriver à un point où vous n'aurez plus besoin du tout du mot sacré. Lorsque vous vous assiérez pour prier, tous les éléments de votre psyché ne feront qu'un et se fondront en Dieu. Le silence intérieur est le mot sacré à son niveau le plus profond. Voici un exemple, si vous voulez faire un petit séjour à New York, vous achetez un billet à votre point de départ. Mais lorsque vous êtes à New York, vous n'allez pas au guichet pour acheter un autre billet puisque

vous y êtes déjà. De même, nous utilisons le mot sacré pour
entrer dans le silence intérieur. Aussi longtemps que vous
êtes envahi par la présence indifférenciée, totale et aimante
de Dieu, au-delà de toute pensée, vous n'avez pas à retourner au mot sacré, car vous êtes là où vous vouliez aller.

*Je crois parfois avoir atteint un état de tranquillité avant d'y être
réellement. J'ai, de temps en temps, goûté à ce qu'elle est vraiment,
mais je pense quelquefois qu'elle est là avant qu'elle n'y soit véritablement, et je ne souhaite pas retourner au mot sacré. Et pourtant, j'ai l'impression que c'est ce que je dois faire.*

Ne soyez pas si convaincu. Restez-y encore quelques instants. Dieu est plus intime et plus accessible qu'on ne le pense.
Si le Seigneur vous tend les bras et vous attire à Lui, c'est
merveilleux! Pourtant, étant donné que ce n'est pas dans Ses
habitudes, il y a peut-être quelque chose que vous pourriez
faire pour Lui rendre la tâche plus facile. L'oraison du silence
intérieur est précisément un moyen pour ce faire.

*Dans l'oraison du silence intérieur, vers quoi exactement est diri-
gée notre attention ? Est-ce que c'est vers le mot sacré ? Vers sa
signification ? Vers sa sonorité ? Vers un vague sens de la présence
de Dieu ?*

Rien de tout cela. Dans l'oraison du silence intérieur,
nous ne cherchons pas à fixer notre attention sur le mot sacré.
Nous ne le répétons pas sans arrêt ni ne pensons à ce qu'il
signifie. Sa sonorité n'a aucune valeur. Le mot sacré n'est
qu'un symbole. C'est un signal indicateur précisant la direction dans laquelle notre volonté a l'intention d'aller. C'est
un geste ou un signe montrant que nous acceptons Dieu tel
qu'Il est. Ce que c'est exactement, nous ne le savons pas.
Encore une fois, le mot sacré est un peu comme l'aiguille de

la boussole indiquant le cap à un navire pris dans la tempête.
Ce n'est nullement un moyen — et certainement pas
infaillible —, pour arriver à destination. Il n'est pas en notre
pouvoir de faire naître une vague impression de la présence
de Dieu. Quel est alors notre but principal dans l'oraison du
silence intérieur ? C'est d'approfondir notre relation avec
Jésus-Christ, l'Être humain et divin.

> *En discutant avec d'autres personnes qui pratiquent l'oraison du*
> *silence intérieur, j'ai découvert qu'elles cessent d'avoir recours au*
> *mot sacré dès que s'instaure un certain type de silence. Elles res-*
> *tent silencieuses pendant environ cinq minutes, puis des pensées*
> *surgissent et elles retournent au mot sacré. Quand elles effectuent*
> *une autre descente dans la quiétude, elles l'abandonnent. Lorsque*
> *de nouvelles pensées se manifestent, elles y retournent. Que pensez-*
> *vous de ces allées et venues entre le mot sacré et le silence ?*

D'après ce que vous dites, on a l'impression que ces personnes savent comment procéder. Certains directeurs spirituels sont convaincus, de par leur expérience, que l'esprit
moderne occidental est si actif qu'il a besoin de répéter
constamment un mantra chrétien, au moins au début. Les
personnes qui mènent une vie très active peuvent certainement tirer profit de ce type de concentration pour fixer leur
attention. Néanmoins, l'oraison du silence intérieur porte
moins sur la concentration elle-même que sur un état de
réceptivité. Bien que les deux méthodes soient excellentes et
aient le même objectif, elles diffèrent et elles entraînent des
effets différents dans la psyché. Dans l'oraison du silence
intérieur, l'utilisation du mot sacré vise à inspirer une attitude réceptive. Le mouvement intérieur vers Dieu sans dire
un mot est souvent suffisant. Vous pouvez vous immerger
dans le silence intérieur aussitôt que vous vous asseyez, sim-

plement en vous ouvrant à la présence de Dieu. Il est déjà présent, mais vous pouvez ne pas L'avoir remarqué en raison d'autres occupations.

La prière contemplative est un type d'attention incroyablement simple. Il s'agit davantage d'intention que d'attention. À mesure que l'Esprit prend de plus en plus en charge votre prière, vous pouvez entrer dans la conscience pure, entrer dans votre vrai moi. Il n'y a ici-bas aucun moyen de connaître Dieu directement, excepté par le biais de la pure foi, qui est la nuit de toutes les facultés. Il faut comprendre cette nuit non comme une disparition passagère de toutes ces facultés, mais comme une transcendance de leur activité. Selon saint Jean de la Croix, la pure foi est le moyen immédiat d'union à Dieu.

La prière contemplative peut déboucher sur différents types d'expériences intérieures ou de non-expériences. Dans un cas comme dans l'autre, elle est un exercice pour s'entraîner à être comblé par Dieu tel qu'Il est et tel qu'Il agit. Lorsqu'on en arrive à ce stade, on goûte une liberté extraordinaire parce qu'alors on ne recherche plus aucune forme de consolation de la part de Dieu. Les consolations spirituelles peuvent être tout aussi incommodantes que celles des sens. Dieu console pour guérir les problèmes affectifs auxquels je faisais référence antérieurement. Quelqu'un qui a été privé d'amour a besoin de beaucoup d'affection. L'Esprit le sait tout autant que n'importe quel psychiatre. C'est peut-être la raison pour laquelle Il manifeste à certaines personnes son amour et son affection de façon toute particulière. Cela ne veut pas dire qu'elles sont plus saintes que d'autres ou que l'Esprit les aime davantage ; cela veut tout simplement dire qu'elles ont davantage besoin d'amour. Il leur donne donc ce dont elles ont besoin — toujours, cependant, en vue de leur donner plus de force de sorte qu'elles puissent être à même de recevoir des messages plus substantiels se situant au-delà du champ de la conscience psychologique.

CHAPITRE VI

Les pensées ordinaires

*D*ans les premiers stades de la prière contemplative, le grand combat se joue contre les pensées. Il est donc important d'identifier les différents types de pensées qui arrivent dans le champ de la conscience et d'apprendre comment les aborder au mieux.

Le type le plus facile à reconnaître est le vagabondage habituel de l'imagination. Celle-ci est une faculté perpétuellement en mouvement, source inépuisable d'idées et d'images. Il est peu réaliste d'essayer de n'avoir aucune pensée. Lorsque nous parlons de parvenir au silence intérieur, il s'agit bien d'un degré relatif de silence. En fait, par silence intérieur, nous entendons surtout un état d'esprit dans lequel nous ne nous *attachons* pas aux pensées à mesure qu'elles se présentent. *nous devons nous laisser mener par Dieu.*

Supposons que vous vous trouviez au septième étage d'un immeuble de bureaux en plein centre ville, fenêtres grandes ouvertes, et que vous parliez à quelqu'un. La circulation crée un bourdonnement incessant. Il est évident que vous ne pouvez rien contre ce bruit. S'il vous agace et que vous disiez: «Oh! ces voitures, elles ne peuvent pas s'arrêter!», ou si vous prenez l'ascenseur ou encore descendez les escaliers et commencez à crier : « Vous ne pourriez pas faire un peu moins de bruit, non ? », le seul résultat aura été de vous interrompre. Si vous poursuivez tout simplement votre conversation en ne tenant pas compte du bruit, vous n'y prêterez bientôt plus aucune attention. En ce qui concerne les vagabondages de l'imagination, il faut procéder de la même façon, et c'est la meilleure solution. Résignez-vous au fait qu'ils seront toujours là car ils font partie de la réalité de votre monde intérieur. Si vous les acceptez pleinement, ils commenceront à s'estomper et à n'avoir plus aucune importance.

De temps en temps, pourtant, le bruit s'amplifie, comme à l'heure de pointe par exemple, et les décibels atteignent un niveau insupportable. Il vous faut accepter cela aussi. Vous serez même parfois persécuté du début à la fin par les vagabondages et les divagations de votre imagination. Cela ne veut pas dire que votre prière n'aura servi à rien ou que vous n'aurez pas tiré profit d'un certain silence intérieur. À mesure que vous persévérerez, vous acquerrez de nouvelles habitudes et de nouvelles capacités, dont l'une est d'être simultanément sensible à deux niveaux de conscience. Vous pouvez être conscient du bruit en vous et autour de vous, tout en reconnaissant que quelque chose d'indéfinissable, mais néanmoins réel, à un niveau plus profond, s'empare de votre attention et la maintient.

Durant cette prière, la capacité d'élever un mur autour de votre silence intérieur est un phénomène que vous pourrez connaître assez tôt pour en exclure les bruits extérieurs. Si vous les acceptez pleinement, ils vous dérangeront rarement. Si vous les combattez, y résistez ou souhaitez qu'il n'y en ait pas, ils vous envahiront totalement. Il est possible que vous ne réussissiez pas immédiatement, mais vous finirez par connaître un silence admirable à un niveau profond, même s'il y a du bruit autour de vous.

J'ai un jour rendu visite à une famille qui habitait près du métro aérien de New York, dans la Troisième avenue, peu de temps avant qu'il ne soit démoli. Leur appartement donnait sur les voies. De temps en temps, une rame passait faisant un bruit monstre. Pour moi, le vacarme était absolument insupportable. C'était comme si la rame traversait directement la pièce. Pourtant, ces gens semblaient totalement indifférents au tintamarre. Ils poursuivaient leur conversation et, lorsqu'une rame arrivait, l'arrêtaient tout simplement — car il était absolument impossible de s'entendre — et la reprenaient là où ils l'avaient arrêtée, une fois la rame passée, comme si de rien n'était. Ils avaient intégré ce bruit assourdissant à leur vie ; mais pour quelqu'un qui n'y était pas habitué, ce n'était pas seulement une interruption de la conversation, c'en était le terme.

Il en est de même de la rumeur qui se produit continuellement dans la tête. Elle est parfois si gênante que beaucoup ne s'en accommodent pas. Ils disent : « Le silence intérieur et la prière contemplative ne sont vraiment pas pour moi. Je ne peux pas supporter cette avalanche de pensées assommantes qui me traversent l'esprit. » Alors, ils abandonnent. S'ils arrivaient simplement à supporter la chose et se donnaient un tout petit peu plus de temps, ils s'y feraient.

La pratique habituelle de l'oraison du silence intérieur diminue le volume de bruit au-dedans de soi. Au début, vous allez sûrement et sans arrêt être assailli de pensées. Pour la plupart d'entre nous, avant de pratiquer l'oraison du silence intérieur ou toute autre méthode visant à calmer l'esprit, nous ne sommes pas même conscients de la somme de pensées qui nous traversent l'esprit. Peu après pourtant, nous commençons à nous rendre compte de la quantité invraisemblable de sottises qui y sont stockées. Cela peut même effrayer certains qui, alors, préfèrent s'accommoder du courant ordinaire de leurs pensées superficielles.

Il faut tout d'abord créer des conditions qui facilitent cette oraison, trouver notamment un moment de calme, loin du téléphone et autres interruptions prévisibles. Suivez le conseil de Jésus lorsqu'Il parle de prier son Père en secret. Il est vrai que si vous avez une bande de jeunes gamins qui galopent dans la maison, vous aurez peut-être du mal à trouver un coin tranquille et un moment de calme. Pour certains, le seul endroit sera peut-être dans la baignoire. L'essentiel est de trouver un lieu et un moment où vous aurez le moins de chance d'être dérangé. Certains bruits — ceux des tondeuses ou des avions — peuvent s'intégrer dans le silence intérieur ; par contre, il est plus difficile de s'accommoder de bruits qui font appel à l'intellect et à l'imagination — une conversation à haute voix, par exemple.

Pour résumer, la meilleure défense contre les vagabondages ordinaires de l'imagination est de ne pas en tenir compte ; non avec un sentiment d'irritation ou d'inquiétude, mais bien plutôt en les acceptant dans la paix. Toute réponse faite à Dieu, quelle qu'elle soit, doit commencer par l'acceptation totale de la réalité telle qu'elle est à ce moment-là. Étant donné qu'une imagination débridée fait partie de notre nature, quel que soit notre désir de calme, il est d'autant plus important d'accepter le fait que des pensées ne manqueront pas de se présenter à nous. La solution n'est pas d'essayer de nous vider l'esprit car le silence intérieur, ce n'est pas cela.

Durant toute l'oraison du silence intérieur, nous pénétrons dans ce silence qui est en nous et en ressortons. Notre attention intérieure est comme un ballon de baudruche qui, par une journée calme, descend doucement. Au moment même où il va toucher le sol, une légère brise se lève et le voilà qui remonte. De même, dans l'oraison du silence intérieur il y a un moment exquis où l'on se sent glisser dans un silence ineffable ; et c'est précisément à ce moment-là que surgissent des pensées dont on se serait bien passé. Il faut beaucoup de patience pour accepter leur présence et ne pas en être contrarié car cela nous empêche d'entrer dans le silence intérieur. Recommencez tout simplement. Ce recommencement constant, avec patience et calme, nous apprend à accepter la vie tout entière ; il nous prépare à l'action. Il nous faudrait essentiellement accepter tout ce qui se passe effectivement avant de savoir quoi en faire. Notre premier réflexe est de souhaiter changer la réalité ou au moins de la maîtriser.

Un deuxième type de pensées se présentant dans le champ de la conscience durant l'oraison se produit lorsque, au cours des vagabondages de l'imagination, vous vous fixez sur une pensée particulière et notez qu'elle retient votre attention. Votre émotivité peut également s'en trouver affectée.

Toute pensée ou image ayant une charge affective, qu'elle vienne de l'extérieur ou de notre imagination, amorce une réponse automatique dans le système d'appétence. Selon que l'image est agréable ou désagréable, vous l'aimez ou la détestez spontanément. Lorsque vous notez une certaine curiosité pour une pensée particulière ou une sensation tenace, la réponse appropriée est de retourner au mot sacré. Cela réaffirme votre intention originale de vous ouvrir à Dieu et de vous abandonner à Lui.

Comme nous l'avons déjà dit, notre conscience est semblable à un grand fleuve à la surface duquel nos pensées et nos habitudes superficielles se déplacent tels des bateaux, des débris, des skieurs nautiques, etc. Le fleuve lui-même est la participation que Dieu nous a donnée à Son propre être. C'est sur cette part de nous-mêmes que toutes les autres facultés reposent, mais nous n'en sommes généralement pas conscients parce que nous sommes absorbés par ce qui passe à la surface du fleuve.

Dans l'oraison du silence intérieur nous commençons à déplacer notre attention et à la transférer des bateaux et des objets à la surface au fleuve lui-même, à tout ce qui soutient l'ensemble de nos facultés et constitue leur source. Dans cette analogie, le fleuve n'a aucune qualité particulière ni aucune caractéristique. Il est spirituel et sans limite car il est une participation à l'être de Dieu. Supposons qu'un bateau en particulier vous intéresse et que vous vous surpreniez à regarder ce qu'il y a à bord. Vous vous éloignez de votre intention première. Il vous faut donc la détourner de ce qui se trouve à la surface du fleuve et la ramener au fleuve lui-même, allant ainsi du particulier au général, de ce qui a une forme à ce qui n'en a pas, de ce qui a des images à ce qui n'en a pas. En retournant au mot sacré, vous renouvelez votre intention, dans la foi, de rechercher la présence intérieure de Dieu.

Reprenons l'image de la conversation avec un ami, au septième étage d'un immeuble de bureaux en plein centre ville. À l'heure de pointe, les voitures klaxonnent. Vous commencez à vous énerver et votre attention s'éloigne de la conversation que vous avez avec votre ami. La courtoisie exige pourtant que vous la repreniez. Vous vous tournez alors à nouveau vers lui comme pour lui dire : « Excuse-moi » ou

«Comme je te disais». En d'autres termes, tout ce que l'on vous demande est un simple geste pour reprendre votre conversation. Il ne s'agit pas de lutter, de s'arrêter ni de supprimer le bruit, mais bien de retourner à l'intention première. De même, lorsque, dans l'oraison du silence intérieur, vous notez que vous pensez à autre chose, tournez simplement à nouveau votre attention vers Dieu et, comme signe de votre intention, revenez au mot sacré.

Il ne s'agit pas de répéter ce mot comme si c'était une formule magique pour se vider l'esprit ou l'imposer à la conscience. En retournant au mot sacré, vous réaffirmez votre choix de converser avec Dieu et d'être uni à Lui. Cela ne demande pas d'effort mais un abandon. Ainsi, lorsque vous retournez au mot sacré, faites-le sans agacement ni découragement. Une réaction trop intense est inefficace. On ne tond pas une pelouse avec un bulldozer. Un simple mouvement de la main suffit à éloigner une mouche importune. Dans l'oraison du silence intérieur, le renouvellement patient de votre intention est une activité suffisante.

Dieu emploie toutes sortes de moyens pour nous parler — que ce soit par nos pensées ou par n'importe laquelle de nos facultés. Il ne faut cependant pas oublier que la première langue de Dieu est le silence. Pour ce type de prière, préparez-vous au silence et si d'autres choses se présentent, c'est Son problème, pas le vôtre. Dès que vous en faites votre problème, vous aurez tendance à désirer quelque chose qui est autre que Dieu. La pure foi vous rapprochera de Dieu plus que n'importe quoi. Être attaché à une expérience de Dieu, ce n'est pas Dieu; c'est une pensée. Le moment d'oraison du silence intérieur est celui où on lâche prise, où on laisse s'estomper toutes les pensées, même les meilleures. Si elles sont vraiment bonnes, elles reviendront plus tard.

Que pensez-vous des drogues comme moyen de déclencher une expérience mystique ?

Certains paraissent arriver à une expérience spirituelle en utilisant des drogues psychédéliques. Il est pourtant beaucoup plus souhaitable de se conformer à une discipline personnelle plutôt que de dépendre de drogues dont les résultats ne sont pas toujours ceux que l'on escompte. Tout comme certaines méthodes énergiques prônées dans la méditation orientale, les drogues peuvent libérer de l'inconscient des éléments que l'on n'est pas encore capables de contrôler. Certains consommateurs de LSD ont fait un mauvais voyage parce qu'ils n'étaient pas psychologiquement prêts à maîtriser ce qui émergeait de leur inconscient suite à l'absorption de la drogue.

Cet après-midi, j'ai ressenti un certain abattement et de la fatigue.

Vous remarquerez souvent une alternance entre ce qu'on pourrait appeler un bon et un mauvais temps de prière. Mais il est préférable d'essayer de se débarrasser de ces catégories.

Une pensée qui m'est venue est celle-ci : « Tout ça, ça sert à quoi ? Laisse tomber. » Bien entendu, je n'ai pas laissé tomber.

Bon. C'était simplement une pensée comme tant d'autres. Quelle que soit la façon dont une pensée vous persécute, la seule chose à faire est de la laisser s'estomper. En la combattant, vous suscitez d'autres pensées.

J'aimerais clarifier une chose avec laquelle je me débats. Par le passé, je voulais absolument me recentrer et j'y ai beaucoup travaillé. J'avais l'impression de faire un effort plutôt que de me laisser aller tranquillement et en douceur.

Ici, la volonté n'intervient pas. Plus vous faites d'effort, moins vous aurez de bons résultats. Lorsque vous vous surprenez à faire de gros efforts, détendez-vous et lâchez prise. Introduisez le mot sacré avec douceur, avec énormément de douceur, comme si vous déposiez un pétale sur un lit de plume.

Bien entendu, lorsque les pensées se ruent sur vous comme des ballons de foot, vous cherchez autour de vous des moyens de vous protéger. Pourtant, les éliminer du terrain en leur donnant de grands coups de pied n'est pas la chose à faire. Vous devriez honnêtement vous dire : « Bon, eh bien je me fais massacrer avec toutes ces pensées ! », et vous en accommoder, en n'oubliant pas que si vous attendez un peu, elles s'en iront. N'opposez pas la violence à la violence. Cette oraison est totalement non violente. Si vous avez les tempes serrées ou l'arrière du cou tendu, c'est que vous faites trop d'effort. Si pendant quelques instants vous laissez votre attention dériver avec votre douleur, celle-ci va généralement disparaître. En d'autres termes, acceptez le fait de ressentir cette douleur. Reposez-vous en sa présence. La douleur a la faculté de dissoudre toutes les autres pensées. Elle focalise l'esprit sur un seul point, ce qui est également l'objectif du mot sacré. Lorsque la douleur se calmera, vous aurez peut-être besoin de revenir au mot sacré.

Pendant le premier temps d'oraison, une séance de travail se déroulait dans le couloir, et l'on parlait suffisamment fort pour que je puisse en saisir des bribes. J'avais envie de hurler le mot sacré pour couvrir le bruit.

Dans cette situation, vous ne pouvez pas faire grand-chose sinon retourner encore et toujours au mot sacré sans cesser d'accepter la situation telle qu'elle est. Il arrive parfois que vous ne puissiez rien faire d'autre que de vous accommoder du bruit environnant. Pensez que vous êtes renouvelé à un niveau plus profond, mais que vous êtes dans l'impossibilité d'en profiter.

> *Si dans un avenir plus ou moins éloigné, la prière dépasse la demi-heure ou même l'heure, on peut en arriver à avoir mal au dos. Est-ce le temps de se dire : « C'est maintenant que l'oraison doit cesser » ? Ou faut-il continuer coûte que coûte ?*

Votre prière devrait normalement se terminer avant qu'une douleur de dos ne vous y oblige. On se rend généralement compte du moment où la période habituelle de prière arrive à son terme. Pour certains, ce sera au bout de vingt minutes, pour d'autres une demi-heure ou plus. Je doute que vous alliez au-delà d'une heure sans vous rendre compte que votre prière a pris fin. Vous êtes toutefois libre de la poursuivre si vous y êtes attiré et si la grâce vous en est accordée.

Une meilleure façon de prolonger l'oraison est de prévoir deux temps de durée normale séparés par une marche lente et méditative autour de la pièce pendant cinq à dix minutes. Ceci pourra dissiper cette nervosité due parfois au fait qu'on reste assis pendant un certain temps dans la même position.

La durée n'est cependant pas une indication de la valeur de la prière. C'est davantage une question de qualité que de quantité. Un seul moment d'union divine est plus précieux qu'un long temps de prière pendant lequel il y a un va-et-vient constant entre le silence intérieur et autre chose. Dieu n'a besoin que d'un court moment pour nous enrichir. En ce sens, l'attente est une préparation pour les moments d'union divine. L'union peut ne durer qu'un instant et pourtant vous pouvez en bénéficier davantage que quelqu'un qui passe une heure ou deux dans une prière contemplative de moindre qualité ne comportant aucun moment d'absorption en Dieu. Chacun de nous doit décider, de par son expérience, quand son temps de prière est habituellement terminé. Le prolonger pour la seule et unique raison que tout va bien n'est pas une bonne chose.

> *À mesure que je descends de plus en plus profondément, je prends peur et remonte. J'ai peur d'y rester. Je ne sais pas si cette peur est d'ordre psychologique, physique ou spirituel.*

C'est là une expérience courante. Lorsque vous approchez de la limite de l'oubli de soi, à moins que l'attraction divine ne soit puissante et rassurante, vous pouvez éprouver de la crainte. Pour notre imagination, l'inconnu est menaçant. Si vous n'en tenez pas compte et y plongez quand même, vous trouverez que l'eau est délicieuse.

> *Hier soir, je me suis livré à ce type de prière et puis je me suis arrêté volontairement. Mais plus tard j'ai tellement regretté. Je ne sais vraiment pas pourquoi j'ai fait ça.*

Avant de commencer votre prière, dites à Dieu : « Si Tu souhaites m'emmener de l'autre côté, emmène-moi. » Puis détendez-vous. Lorsque vous avez été anesthésié pour la première fois, vous ne saviez pas ce qui allait se passer. Si on ne vous l'avait pas plus ou moins imposé, vous ne l'auriez probablement pas accepté. Dans l'oraison du silence intérieur, c'est un peu le même genre de situation. Vous ne savez pas vraiment comment les choses vont se présenter dès que vous cessez de réfléchir. Mais essayez.

> *J'étais sur le point de faire une merveilleuse expérience, mais la peur était là aussi, alors je me suis arrêté. Je ne sais pas pourquoi.*

Essayez de ne pas réfléchir du tout à l'expérience lorsqu'elle se produit ; laissez simplement aller les choses.

> *Si on pratique cette oraison trop souvent, est-ce qu'il y a un risque de tomber dans la passivité ?*

Uniquement si vous la pratiquez cinq ou six heures par jour pendant longtemps. Je ne pense pas que trois ou quatre heures par jour pourraient avoir un effet néfaste. Nombreux sont ceux qui pourraient prier plus longtemps s'ils augmentaient peu à peu leur temps de prière sur une période de plusieurs mois. Si vous la pratiquez correctement, vous remarquerez peut-être que, dans la vie courante, vous êtes plus énergique et manifestez un regain d'activité. Et ceci parce que vous vous libérez d'un bon nombre d'enchevêtrements émotionnels qui vous épuisaient.

Le fait que vos facultés superficielles soient conscientes qu'une foule de bateaux et d'épaves descendent le courant de la conscience ne veut pas dire que vos autres facultés — entendement et volonté — ne se trouvent pas réunies en Dieu. Vous pouvez être douloureusement conscient que des pensées non désirées vous viennent à l'esprit et souhaitez qu'elles ne soient pas là. Parallèlement, vous pouvez vous rendre compte que quelque chose, au plus profond de vous, est absorbé par une présence mystérieuse totalement intangible, subtile et délicate. C'est parce que votre psyché atteint à cette conscience élargie dont j'ai déjà parlé, conscience capable d'être simultanément attentive à deux niveaux de la réalité, l'un superficiel et l'autre profond. Si des pensées superficielles vous envahissent l'esprit et que ce fait même vous trouble, vous ne parviendrez pas au niveau plus profond. D'autres fois, il arrivera pourtant que vous ne l'atteindrez pas, pour ouvert que vous y soyez, en raison de la rumeur de l'imagination ou de la mémoire.

Si votre temps d'oraison passe vite, c'est un signe que vous y étiez profondément immergé, peut-être beaucoup plus que vous ne vous en êtes rendu compte. Lorsque plus aucune image ou pensée ne défile dans votre esprit, la notion du temps n'est plus le même ; c'est l'expérience de l'éternité. Vous êtes pleinement conscient, mais pas du temps. Le temps est une projection de soi. Lorsqu'il n'y a pas de pensée, vous êtes hors du temps. Vous pouvez ainsi avoir l'intuition du fait que, lorsque le corps se séparera de l'esprit, il ne se produira aucun changement notable. Dans une prière profonde, on ne pense de toute façon pas au corps. La perspective de mourir perd alors de son caractère menaçant parce que vous avez vécu en avant-première une séparation de l'esprit et du corps… et c'est merveilleux.

Durant l'oraison, j'ai parfois un sentiment de légèreté insouciante que je trouve des plus agréables.

Il ne faut pas prendre la prière trop au sérieux. On peut dire que Dieu a beaucoup d'humour ; il suffit de regarder un pingouin, par exemple, ou d'autres animaux aussi drôles, pour se rendre compte qu'Il a pris un malicieux plaisir à les créer. Ce caractère enjoué de Dieu est une part profonde de la réalité ; il nous signale qu'il vaut mieux ne pas nous prendre trop au sérieux, que nous avons été créés avec un certain sens de l'humour.

Est-ce que mon ange gardien sait ce qui se passe dans mon orai-son du silence intérieur ?

Non, à moins que vous ne le lui disiez ! Ni les anges ni les démons ne peuvent percevoir ce que vous faites dans votre prière contemplative si elle est suffisamment profonde. Ils ne savent que ce qui se trouve dans votre imagination et dans votre mémoire et ils peuvent y ajouter des éléments. Mais lorsque vous êtes dans un silence intérieur profond, ce qui s'y passe est le secret de Dieu. Il n'y a que Lui qui sache ce qui se passe dans les profondeurs de votre âme. Certains pensent que si votre esprit se calme, vous ouvrez la porte à des forces diaboliques. Selon saint Jean de la Croix, vous n'êtes jamais tant en sécurité que lorsque vous êtes absorbé dans la présence de Dieu, au-delà des pensées et des sentiments, car là les démons ne peuvent vous atteindre. Ce n'est que lorsque vous sortez du silence intérieur qu'ils peuvent vous tenter et vous harceler. C'est la raison pour laquelle l'une des meilleures façons de faire face à une tentation est d'adopter la même attitude que durant la prière contemplative. C'est ce que David veut dire lorsqu'il loue Dieu dans les psaumes : « Tu es mon refuge… ma force… mon roc… ma citadelle… mon enceinte… mon rempart. » Nous n'avons pas besoin d'avoir peur de nous ouvrir à des dangers inconnus en pratiquant la prière contemplative. Personne ne peut nous y retrouver hormis Celui qui est encore plus profond que ce niveau, le Dieu qui demeure en nous et d'où émane à tout instant un amour créateur qui nous inonde.

Durant mon temps d'oraison aujourd'hui, une pensée m'est continuellement revenue. Même chose une fois l'oraison terminée. C'était une pensée égoïste. Je suis allé à la chapelle pour prier et la présenter au Seigneur. Je Lui en ai fait don et m'en suis trouvé beaucoup mieux. J'avais l'impression que c'était comme une écharde que je venais juste de retirer. Y a-t-il un avantage à présenter ce genre de choses au Seigneur dans la prière lorsqu'on peut Lui parler comme ça ?

Tout à fait, suivez votre intuition. On devrait pouvoir aller à Dieu en toute liberté. J'insiste sur la prière contemplative parce qu'elle a été négligée au cours des derniers siècles. Le temps que vous consacrez au silence intérieur n'est pas censé être en conflit avec aucune autre forme de prière.

Quand j'ai commencé à pratiquer l'oraison du silence intérieur, je trouvais très difficile de ne pas recourir à des mots si j'avais l'impression de n'aller nulle part. Je comprends maintenant que, lorsqu'on essaie de se vider l'esprit, on fait de la place pour que l'Esprit vienne et ce sont les coins les plus reculés de l'être qui sont en prière. Cela m'a aidé à étouffer mes pensées. Je vois qu'il n'est pas besoin de prier avec des mots, mais que je dois plutôt me détendre et Le laisser venir en moi pour prier.

La prière n'est pas prévue pour changer Dieu mais pour nous changer, nous. Plus vite nous faciliterons le processus, meilleure sera notre prière. Une fois que nous avons commencé à nous intéresser à Dieu et à Le chercher, la meilleure chose à faire est de rester silencieux durant la prière et de Le laisser nous prendre en charge. N'est-ce pas là la grande signification de la Bienheureuse Vierge Marie ? Il lui était absolument impossible d'oublier Dieu. Elle était prière dans son être même et dans chacun de ses actes.

Quelle grande chose Notre-Dame a-t-elle faite pour nous ? Elle a apporté le Verbe de Dieu dans le monde, ou plutôt elle L'a laissé venir dans le monde par son intermédiaire. Ce n'est pas vraiment ce que nous faisons mais c'est bien ce que nous *sommes* qui permet au Christ de vivre dans le monde. Lorsque la présence de Dieu jaillit de notre être le plus intime pour pénétrer nos facultés, que nous marchions dans la rue ou que nous buvions un bol de soupe, la vie divine se répand dans le monde. L'efficacité de chaque action dépend de la source d'où elle jaillit. Si elle vient du faux moi, elle est considérablement limitée. Si elle vient d'une personne immergée en Dieu, elle est extrêmement efficace. L'état contemplatif, comme la vocation de Notre-Dame, apporte le Christ au monde.

> *J'aimerais clarifier une chose à propos du recours à la prière contemplative en période de tentation, de stress ou de difficulté. Je ne suis pas très à l'aise avec l'idée d'utiliser la prière pour m'apporter la paix. Est-ce que ce n'est pas un motif égoïste ?*

Ce que j'avais à l'esprit lorsque j'ai suggéré de vous engager dans la prière contemplative c'était de calmer vos pensées et vos sentiments, lorsqu'ils sont confrontés à une tentation quelconque, en pratiquant la même méthode que dans la prière contemplative. On peut traiter la tentation comme n'importe quelle pensée qui arrive dans le champ de la conscience. Si vous la laissez s'éloigner, cela suffit. Si vous n'y parvenez pas, il vous faut trouver d'autres moyens pour y résister.

> *L'attitude que nous adoptons dans notre vie ordinaire de ne pas nous attacher à certaines choses est-elle un moyen de nous préparer à la prière de façon tangible et pratique, de sorte qu'il sera plus facile de laisser aller les pensées lorsqu'elles se présenteront durant la prière ?*

Il existe une interaction réciproque entre votre activité durant la journée et votre prière, et vice versa. Elles se soutiennent mutuellement.

Comment peut-on prier dans une paix et un silence profonds lorsque quelque chose vous a bouleversé ?

Vous ne pouvez pas espérer prier en silence sans une certaine « zone tampon ». Dans de telles circonstances, il vous faudra peut-être faire le tour du pâté de maisons, quelques exercices physiques ou une lecture appropriée. Autrement, aussitôt que vous vous assiérez et tenterez d'être calme, vous penserez que vous êtes assis sous les chutes du Niagara et non à côté de votre courant de conscience. Donnez-vous la possibilité de vous apaiser avant de commencer à prier. Par ailleurs, certaines épreuves sont si grandes qu'elles vous écrasent, et quels que soient les moyens que vous prenez pour vous apaiser, vous ne parviendrez pas à créer un silence intérieur. Néanmoins, le fait de réserver le temps habituel pour prier vous aidera à accepter le problème et la tornade émotionnelle.

Avec le groupe pourquoi limitez-vous le temps de prière à une demi-heure ?

Cela semble la durée normale pour que l'attention reste soutenue. Un temps plus long pourrait décourager certaines personnes de commencer ou de poursuivre. Il faut pourtant qu'il soit suffisamment long pour qu'il y ait perception de ce qu'est le silence intérieur.

Il est particulièrement bon de prier tous les jours à la même heure et pendant la même durée. Cela vous donne une réserve permanente de silence. En encadrant la journée de deux temps égaux de prière profonde, la réserve de silence en vous sera à même d'illuminer tous vos actes entre ces deux pôles.

Plus vous avez d'activités, plus vos temps de prière sont nécessaires. Une activité excessive peut devenir épuisante ; mais elle exerce également une fascination mystérieuse. C'est un peu comme un tapis roulant ou un manège : il est difficile d'en sortir. La prière régulière est une véritable discipline. Interrompre ce que vous faites afin de pouvoir prier peut s'avérer difficile. Il vous faut être convaincu que votre temps de prière est plus important que n'importe quelle autre activité, sauf quand vous devez venir en aide à quelqu'un de façon urgente. Vous serez surpris de voir que les choses se mettent en place d'elles-mêmes et se font plus vite. Vous pourrez relativiser la valeur de vos activités et voir ce qui est prioritaire.

Pourquoi deux fois par jour et non pas un seul temps plus long ?

Une prière deux fois par jour vous garde plus proche de votre réserve de silence. Si vous vous en éloignez trop, c'est un peu comme si vous étiez connecté à un réservoir plein d'eau auquel sont également connectées beaucoup d'autres personnes. Une fois que tout le monde s'est servi, lorsque vous ouvrez le robinet, il ne coule plus que quelques gouttes. Pour empêcher que cela ne se produise, faites en sorte que la pression reste forte. Il vous faut continuer de remplir le réservoir jusqu'à ce que vous finissiez par tomber sur un puits artésien. L'eau coule alors à flots.

La prière contemplative est une préparation à l'action, à l'action qui émerge de l'inspiration de l'Esprit en faisant taire votre propre agitation, vos propres désirs et obsessions. Un tel silence donne à Dieu le maximum de chances de s'exprimer en vous.

Durant l'oraison, est-ce qu'on peut réfléchir à ce qui se passe ou est-ce qu'il vaut mieux laisser aller les choses ?

Quand vous priez ainsi, ce n'est pas le moment de réfléchir à ce qui se passe et il est préférable de suspendre complètement tout jugement. Ce n'est qu'après qu'il peut être bon d'y réfléchir. À mesure que vous acquerrez de l'expérience, il vous faudra toujours intégrer votre prière dans le reste de votre vie de foi. Cela exige une certaine conceptualisation. Par ailleurs, vous n'avez pas besoin d'analyser votre prière pour en tirer des avantages. Il vaut mieux ne pas vous appesantir sur ce qui se passe. Si vous en retirez de bons fruits, vous le constaterez spontanément. En fait, d'autres personnes vous diront : « Tu sembles moins agité qu'avant. » Il pourra y avoir en vous une certaine gentillesse que l'on ne remarquait pas auparavant. Vous-même pourrez noter que, alors que vous aviez envie de tomber sur quelqu'un à bras raccourcis lorsque vous étiez en colère, vous vous contentez maintenant d'une légère réprimande.

La prière contemplative nous fait percevoir nos propres sentiments sous un tout autre jour ; elle les place dans un cadre de référence différent. La plupart des sentiments extrêmes viennent d'un sentiment d'insécurité, notamment lorsque nous nous sentons menacés. Mais quand, dans un profond silence, la présence de Dieu nous fortifie constamment, vous n'avez pas peur d'être contredit ni qu'on abuse de vous. Vous pourriez être devenu suffisamment humble pour supporter insultes et humiliations sans que des sentiments d'auto-dénigrement ou de revanche ne vous accablent.

Dans notre culture, les sentiments négatifs envers soi-même semblent prévaloir, en raison de l'image pitoyable de soi que l'on acquiert au cours de la petite enfance, peut-être à cause de la société dans laquelle on vit où la concurrence est énorme. En effet, dans cette culture, quiconque n'a pas le dessus a l'impression de ne rien valoir, alors que dans la sérénité d'une prière profonde, vous êtes une nouvelle personne, ou plutôt, vous êtes vous-même.

Que se passe-t-il si, en raison de la paix qu'elle procure, vous prolongez l'oraison du silence intérieur pendant des heures ?

Dans quelque domaine que ce soit, toute exagération a des effets néfastes. Une trop grande joie tout comme une trop grande douleur est épuisante. L'objectif de cette prière n'est pas d'augmenter le temps consacré à la prière elle-même ou au silence, mais il est d'intégrer la prière et le silence à nos activités. La consolation d'un type spirituel nous remplit le cœur d'un tel sentiment de plénitude qu'elle peut devenir un piège. De ce fait, attribuer une durée précise à la prière contemplative vous met à même de la jauger ce qui, dans une juste mesure, vous est bénéfique sans tomber dans l'excès. S'approcher du silence intérieur est un don précieux. Sa beauté est si admirable qu'elle change notre perception même de la beauté. Si vous en faites l'expérience assez fréquemment, vous aurez davantage de force pour faire face à l'opposition et à la contradiction. Le silence intérieur est l'une des expériences humaines qui fortifient et tonifient le plus. Rien de plus tonifiant, en fait, que l'expérience de la présence de Dieu. C'est une révélation qui, elle seule, peut nous dire : « Tu es bon. Je t'ai créé et je t'aime. » L'amour divin nous fait « naître » au sens le plus fort du terme. Il guérit les sentiments négatifs que nous avons envers nous-mêmes.

J'ai peur de m'arrêter de respirer pendant mon temps d'oraison. Je me sens plus en sécurité lorsque le rythme de mon corps m'est présent à l'esprit. J'y suis très sensible et j'ai peur de lâcher prise trop longtemps.

Votre respiration peut devenir superficielle, mais dès que vous aurez besoin d'oxygène, vous respirerez en profondeur automatiquement. Le corps est son propre baromètre, et si votre respiration devient trop superficielle, vous respirerez plus profondément. C'est ce qui se passe dans le sommeil et c'est ce qui se passe dans la prière. Il existe une corrélation entre la pensée et la respiration. À mesure que la respiration se fait superficielle, les pensées diminuent; mais dès que vous recommencerez à penser, la respiration deviendra plus profonde elle aussi.

J'ai entendu dire que le jeûne est propice à la méditation. Je suppose qu'il faut s'y entraîner.

La capacité de jeûner est propre à chacun. Ce que l'on recommande, c'est de ne pas se livrer à l'oraison du silence intérieur l'estomac plein. Cette prière visant plutôt à réduire le métabolisme, les fonctions du corps, telles que la digestion, vous ralentissent. Attendez de une heure à une heure et demie après un bon repas. Ne la pratiquez pas non plus juste avant d'aller vous coucher car vous pourriez éprouver un sursaut d'énergie qui risquerait de vous tenir éveillé pendant plusieurs heures.

Pour certains, le jeûne amplifiera l'expérience de l'oraison du silence intérieur, alors que pour d'autres elle pourra avoir l'effet contraire. Si votre faim est si pressante qu'elle est présente à votre esprit pendant votre temps d'oraison, le jeûne va à l'encontre du but recherché. Pendant l'oraison du silence intérieur, le principe est d'essayer d'oublier le corps. Ce qui convient le mieux ici, c'est la simplicité de la vie, non les extrêmes.

Le groupe apporte un soutien moral certain. Est-il préférable de pratiquer l'oraison du silence intérieur ensemble ou seul ?

Oui, le groupe apporte un soutien moral et psychologique. C'est pourquoi il est utile d'appartenir à un groupe qui se réunit régulièrement, une fois par semaine, par exemple. Par ailleurs, certains préfèrent rester seuls car ainsi ils n'ont pas à s'adapter à ce que les autres font. Les deux expériences sont valables.

Lorsque je ne pense à rien de particulier, je commence à faire attention à ma respiration.

La meilleure façon de régler la question est d'accepter le fait et de ne pas y prêter attention. C'est comme si, dans la rue, vous vous dirigiez vers l'église et que soudain quelqu'un marche à côté de vous. Poursuivez votre chemin sans faire attention à ce compagnon non invité, et vous finirez par arriver là où vous vouliez aller. Dites «Oui» à tout ce qui se présente. De cette façon, il y a de bonnes chances pour que l'image obsédante disparaisse. Une réaction d'ennui ou de plaisir intensifie toute pensée particulière.

Toutes les pensées qui arrivent dans le champ de la conscience sont soumises au temps parce que ce sont des objets mouvants qui, de ce fait, vont s'éloigner. Si vous attendez simplement en ne faisant rien de particulier les concernant, elles finiront par s'estomper, toutes. Alors que si vous tentez de les confronter ou de vous en éloigner, vous vous trouverez pris dans leurs filets. Il vous faudra alors repartir de zéro.

Laissez venir les pensées et laissez-les aller. Aucun mécontentement, aucune attente. Il s'agit ici d'un type très délicat de renoncement à soi, mais il est plus valable que certaines privations imposées au corps, qui visent davantage à fixer l'attention sur soi. Attendre Dieu sans s'éloigner, respecter les temps habituels de prière, accepter les vagabondages de l'imagination, ce sont là les pratiques les plus efficaces pour parvenir à la véritable dévotion. Leur observance amènera un changement complet du cœur.

Il semble que parfois on ait conscience de quelque chose autour de soi. Le mot sacré devient une réalité et on ne peut pas se forcer à le répéter. Cet état n'est pas comme une conscience ordinaire à l'état de veille, mais ce n'est pas non plus le sommeil car on est conscient à un certain niveau.

C'est la conscience que nous essayons d'éveiller. On pourrait l'appeler l'attention spirituelle. Cette attention profonde est consciente des facteurs extérieurs mais ils ne laissent aucune impression sur elle parce que l'on est saisi par une mystérieuse attention intérieure. C'est comme une conversation que vous avez avec quelqu'un que vous aimez. Vous pouvez bien ne rien dire d'extraordinaire, mais vous êtes tout absorbé dans cette personne. Si vous mangez ensemble au restaurant, les serveurs peuvent aller et venir, vous ne remarquerez même pas ce qu'ils font. L'un d'entre eux pourra même déposer l'addition sur la table et vous ne remarquerez pas non plus que c'est la fin du repas ou que le restaurant est vide et qu'il est temps de partir. La prière n'est pas une conversation avec des mots, c'est le cœur qui s'exprime. Elle se situe à un niveau plus élevé de communication que les autres prières et tend à les assimiler.

> *Je me suis trouvé aux prises avec certaines résistances à Dieu. J'avais à moitié conscience de ces résistances qui surgissaient spontanément. Ce temps d'oraison, est-ce le moment de se débattre au milieu de ses problèmes avec soi ou avec Dieu ?*

Lorsqu'on est intérieurement tranquille, certains conflits cachés par le courant ordinaire des pensées peuvent commencer à se préciser. Normalement, je ne lutterais pas avec eux à ce moment-là mais je les laisserais s'estomper. Le moment d'y réfléchir vient une fois la prière terminée. La valeur de la prière contemplative est que c'est une immersion totale dans cet aspect de notre relation à Dieu qui se trouve être le plus important — cultiver le silence intérieur. Des problèmes psychologiques peuvent se préciser, à la suite d'un moment de grande paix, et il arrive qu'on entrevoie une solution ; mais en général, ces intuitions sont une façon détournée de vous faire penser à autre chose. « Tout sauf le silence » est la réponse du faux moi à ce type de prière. Le silence intérieur va absolument à l'opposé de toutes les inclinations du faux moi. C'est pourquoi vous devez amener progressivement ce dernier à être inactif pendant quelque temps. Cependant, il se peut que, ayant une soudaine compréhension d'un conflit, vous soyez poussé à y réfléchir longuement et immédiatement. Sentez-vous libre de faire une exception. Pourtant, si cela se reproduit trop souvent, vous risqueriez de faire une erreur.

LES PENSÉES ORDINAIRES 109

Aujourd'hui, il m'est arrivé d'avoir certaines pensées qui allaient et venaient sans retenir mon attention, comme à l'habitude. Je cherche encore l'équilibre entre l'utilisation du mot sacré et le simple repos en La présence. J'ai noté quelques brefs moments d'une simple présence sans que je ne fasse rien. Alors je me demandais si je devais retourner au mot sacré.

Lorsque vous êtes plongé dans un silence intérieur profond, toute pensée agit sur vous comme un appât délicieux sur un poisson qui repose dans les eaux profondes d'un lac. Si vous mordez, c'en est fait du silence ! Essayez de ne vous attendre à rien. Ce n'est pas facile. Cela vient avec l'habitude de laisser les pensées disparaître au loin. Finalement, vous en arrivez à ne plus faire attention aux pensées qui descendent le courant parce qu'il les emporte de toute façon, que ce soit agréable ou désagréable. Je pourrais ajouter que la pratique de cette prière vous facilitera la vie car vous serez en mesure de faire la même chose avec les événements de tous les jours. L'oraison du silence intérieur est une école du « lâcher-prise ».

CHAPITRE VII

L'éveil de l'attention spirituelle

*D*ans ce contexte, volonté signifie non pas effort mais consentement. Le secret pour circonvenir les difficultés qui surviennent dans la prière contemplative, c'est de les accepter. La volonté est alors plus affaire d'affectivité que d'efficacité. Tenter d'accomplir des choses à force de volonté ne fait que renforcer le faux moi. Ceci ne nous dispense pas de faire les efforts qui s'imposent. Au départ, la volonté se trouve intimement liée à des habitudes égoïstes dont il faut se débarrasser. À mesure que la volonté gravit l'échelle de la liberté intérieure, son activité devient de plus en plus consentement à la venue de Dieu, à l'influx de la grâce. Plus Dieu est à l'œuvre et moins nous le sommes, meilleure est la prière. On a d'abord conscience de devoir répéter le mot sacré encore et encore. Une meilleure façon de caractériser ce genre d'activité est de dire que l'on *retourne* au mot sacré ou qu'on le place dans sa propre conscience. Le mot sacré est le symbole de l'activité spirituelle subtile de la volonté. On ne cesse de consentir à la présence de Dieu. Étant donné qu'Il est déjà présent, on n'a pas à faire d'effort pour L'attirer vers soi.

Le mot sacré est le symbole du consentement à la présence de Dieu. La volonté finira par consentir d'elle-même sans avoir besoin d'un symbole. Dans la prière, la volonté est vraiment à l'œuvre, mais c'est une volonté réceptive. Recevoir est l'une des choses les plus difficiles qui soient. Or, dans la prière contemplative, recevoir Dieu est essentiellement ce vers quoi on tend.

L'oraison du silence intérieur est une façon de s'ouvrir totalement à Dieu. S'abandonner à Lui relève d'un consentement plus approfondi. La transformation est totalement l'œuvre de Dieu. Nous ne pouvons rien faire pour qu'elle se produise. Par contre, ce que nous faisons la plupart du temps, c'est de l'empêcher de se produire.

À mesure que la prière devient habituelle, une présence mystérieuse indifférenciée et paisible semble s'instaurer au-dedans de nous. Certaines personnes disent qu'elles sentent que Dieu habite en elles. Cette présence tranquille, qui est toujours là quand elles viennent s'asseoir en silence, devient leur manière de prier.

Au début, nous apportons dans la prière notre faux moi avec ses attentes et ses idées préconçues. C'est pourquoi, en enseignant cette oraison, je ne parle pas d'effort. En effet, dans notre conception du travail, le mot *effort* se traduit immédiatement par *essayer*, et « essayer » dilue la notion même de réceptivité, chose essentielle pour que progresse la prière contemplative. Réceptivité n'est pas inactivité. C'est au contraire une activité réelle, mais non un effort au sens habituel du terme. Si vous souhaitez l'appeler ainsi, n'oubliez pas qu'il s'agit d'un effort qui ne ressemble en rien à tout autre type d'effort. C'est simplement une attitude d'attente du Mystère Ultime. Vous ne savez pas ce que c'est mais, à mesure que votre foi se purifie, vous ne souhaitez pas le savoir. Bien entendu, d'une certaine façon vous en mourez d'envie, mais vous vous rendez compte que vos facultés ne vous sont d'aucune utilité. Il est donc vain d'espérer quoi que ce soit. Vous ne savez pas et ne pouvez pas savoir ce que vous attendez véritablement.

Cette prière est ainsi un cheminement dans l'inconnu. Elle est un appel à suivre Jésus en dehors de toute structure, de filet de sécurité ou même d'exercices spirituels qui serviraient de support. Vous laissez tout cela derrière vous dans la mesure où ces choses font partie du faux moi. L'humilité est l'oubli de soi. L'oubli de soi est ce qu'il y a de plus difficile ici-bas, mais on n'y parvient pas en s'y efforçant. Seul Dieu peut mettre un terme à l'existence de notre faux moi. Le faux moi est une illusion : c'est notre propre façon de concevoir ce que nous sommes et ce qu'est le monde. Jésus a dit : « Qui aura trouvé sa vie la perdra et qui aura perdu sa vie à cause de moi la trouvera » (Matthieu 10, 39). Il a dit également : « Si quelqu'un veut venir à ma suite, qu'il se renie lui-même ; qu'il se charge de sa croix et qu'il me suive » (Matthieu 16, 24). Où va Jésus ? Il va vers la croix sur laquelle même son moi — divin et humain — est sacrifié.

Pour les chrétiens, l'union personnelle avec le Christ est le moyen de parvenir à l'union divine. L'amour de Dieu permettra d'arriver au terme du voyage. La pratique chrétienne vise en premier lieu à démanteler le faux moi. C'est le travail que Dieu semble exiger de nous comme preuve de notre sincérité. Puis Il prendra en main notre purification, nous fera clairement percevoir notre égoïsme profondément enraciné en nous et nous invitera à nous en débarrasser. Si nous acquiesçons, Il le fera disparaître pour le remplacer par Ses propres vertus.

Des crises jalonnent certains stades du développement de la personne, notamment le début de l'adolescence et la période juste avant le début de l'âge adulte. De même, le développement spirituel connaît une crise chaque fois que l'on est appelé à un état supérieur de conscience. Lorsque la crise se déclenche, on s'accroche coûte que coûte au faux moi. Si l'on résiste à cette étape de la croissance, il y a des chances que l'on régressera ou que l'on tournera en rond comme une toupie pendant un certain temps. À ce stade, il y a possibilité de réussite ou d'échec, de progression ou de régression. Si l'on régresse, on renforce le faux moi. Il faut alors attendre que Dieu nous lance un nouvel appel. Fort heureusement, Il a toujours pour nous d'autres projets et n'abandonne pas la partie aussi facilement. Nous voyons, dans l'Évangile, Sa façon de faire lorsqu'Il forme Ses apôtres. Il agit avec nous de la même façon.

La Cananéenne est le magnifique exemple d'une personne traversant ce que saint Jean de la Croix appelle la nuit des sens, crise amorçant le mouvement qui nous fait passer de l'empire des sens et de la raison à la docilité à l'Esprit. Cette femme était allée à Jésus comme beaucoup d'autres l'avaient fait et avait demandé la guérison de sa fille. Elle ne s'attendait pas à rencontrer des difficultés. Elle s'agenouilla donc et fit sa supplique. Jésus ne répondit pas. Elle se prosterna, face contre terre; Jésus resta indifférent. Il n'avait jamais traité personne aussi durement. Alors qu'elle rampait dans la poussière, Il dit : «Il ne sied pas de prendre le pain des enfants pour le jeter aux petits chiens» (Matthieu 15, 26). Les conséquences sont évidentes; mais elle revint à la charge avec son incroyable réponse : «De grâce, Seigneur! aussi bien les petits chiens mangent-ils des miettes qui tombent de la table de leurs maîtres!» (Matthieu 15, 27). Jésus fut transporté de joie. Son étrange comportement visait à la faire s'élever jusqu'au plus haut niveau de foi. À la fin de la conversation, il put lui dire : «Ô femme, grande est ta foi! Qu'il t'advienne selon ton désir!» (Matthieu 15, 28). Pour parvenir à cette place, nous risquons, nous aussi, d'essuyer des rebuffades, des silences et un rejet apparent.

Certains se plaignent parfois que Dieu n'exauce jamais leurs prières. Pourquoi devrait-Il le faire? En n'exauçant pas nos prières, il comble en fait notre plus grand désir qui est celui d'être transformé. C'est ce qui est arrivé à la Cananéenne.

Parfois je ne pense à rien ; je n'ai que la conscience de mon moi. Je ne sais pas si je dois lâcher prise ou rester conscient ?

C'est une question cruciale. Si vous êtes conscient de n'avoir aucune pensée, vous êtes conscient de quelque chose, ce qui est en soi une pensée. Si à ce moment précis vous pouvez ne plus être conscient de n'avoir aucune pensée, vous parviendrez à la *conscience pure*. À ce stade, il n'y a plus de conscience de soi. Lorsque vous retrouverez vos facultés habituelles, vous aurez sans doute une merveilleuse impression de paix, preuve que vous n'étiez pas endormi. Il importe de nous rendre compte que le lieu vers lequel nous allons est un lieu où celui qui connaît, le connaissant et le connu ne font qu'un. Seule subsiste la conscience. Celui qui a conscience disparaît avec tout ce qui était l'objet de la conscience. L'union divine, c'est cela. Il n'y a aucune réflexion du soi. L'expérience est temporaire, mais elle vous oriente vers l'état de contemplation. Aussi longtemps que vous vous *sentirez* uni à Dieu, il ne pourra y avoir d'union complète. Aussi longtemps qu'il y aura une pensée, il n'y aura pas d'union complète. Le moment d'union complète n'a pas de pensée. Vous n'en savez rien avant d'en sortir. Au début, l'union est si ténue que vous pouvez penser être endormi. Ce n'est pas comme l'impression d'union ressentie avec le Seigneur qui prend place au niveau de l'auto-réflexion. Sur le plan spirituel, l'union est un état de conscience pure. C'est la fusion totale de l'amour et de la connaissance et, lorsqu'elle se fait, elle est non réflexive.

Il existe en nous quelque chose qui désire *être conscient* du fait que nous ne sommes pas conscients de nous-mêmes. Même si la volonté de laisser aller le soi est présente, nous ne pouvons rien faire pour que cela se produise sinon continuer à laisser s'estomper toutes les pensées qui nous viennent à l'esprit. Si nous réfléchissons sur le moi, nous recommençons à nous mouvoir dans le monde des idées.

Pour certains, l'union divine pourrait sembler un peu effrayante. Nous ne pouvons pas imaginer à quoi pourrait ressembler un tel état de l'être. Nous pensons : « Et si je perds conscience ? Et si je n'en reviens jamais ? » Si nous donnons prise à la crainte que nous pourrions ne pas en revenir, nous entravons le processus du lâcher-prise.

L'oraison du silence intérieur est la pratique du lâcher-prise, et elle n'est que cela. Elle met de côté toutes les pensées. Un seul effleurement de l'amour divin, et c'en est fait de tous les plaisirs du monde. Le fait de réfléchir aux communications spirituelles en réduit l'importance. Un sutra [1] dit fort justement : « Essaie d'acquérir un esprit qui ne s'attache à rien [2]. » Et cela comprend les visions, les extases, les paroles inspirées, les communications spirituelles, les dons

---

[1] Sutra : règle de conduite dans la littérature canonique bouddhiste.
[2] C. Luk, *Ch'an and Zen Teaching*, First Volume, p. 173.

psychiques. Tout cela n'a pas autant de valeur que la pure conscience.

Il est extrêmement difficile de ne pas réfléchir aux consolations spirituelles, notamment si vous n'en avez pas beaucoup l'expérience. Néanmoins, lorsque vous vous serez approché du silence intérieur et en aurez été éjecté un certain nombre de fois, vous commencerez à accepter le fait qu'essayer de tout comprendre ne mène à rien. Ne vous découragez pas et ne vous laissez pas non plus aller à un sentiment de culpabilité. L'échec est le chemin vers une confiance sans borne en Dieu. N'oubliez jamais que vous avez de votre côté des milliards de chances. Ce Dieu qui est nôtre ne biffe jamais rien de la liste des possibilités qui se présentent. Il ne cesse de s'adresser à nous sous tous les angles possibles. Il nous entraîne subtilement, nous attire, nous encourage doucement ou nous pousse, selon le cas, pour que nous parvenions là où Il veut que nous nous rendions.

À la longue, vous allez sans doute vous habituer à un certain silence intérieur. La paix délicieuse que vous avez pu goûter au début de votre pratique de la prière contemplative devient alors un état normal. Comme tout dans la vie, vous pouvez vous habituer à la prière contemplative et ne pas remarquer les dons extraordinaires que vous recevez. Habituellement, vous vous apaisez au début de votre oraison et entrez dans un espace de silence; c'est tout. Cela ne veut pas dire que vous ne trouvez plus l'oraison de quiétude dans laquelle votre volonté est en union avec Dieu. Si des pensées vous viennent à l'esprit et que vous les laissez s'estomper sans y attacher d'''importance, vous pouvez être sûr que vous avez passé le seuil de l'oraison de quiétude. Lorsque toutes les facultés sont saisies par Dieu, il y a union complète. Pourtant, ce n'est pas la fin du voyage.

Quelle est la relation entre la prière contemplative et le reste de la vie ?

L'union établie durant la prière doit être intégrée au reste de la réalité. La présence de Dieu doit devenir une sorte de quatrième dimension pour l'ensemble de la vie. Notre monde tridimensionnel n'est pas le véritable monde car il y manque la dimension la plus importante, à savoir celle d'où procède tout ce qui existe et à laquelle tout retourne, à chaque instant infinitésimal. C'est un peu comme si l'on ajoutait une bande sonore à un film muet. L'image reste la même, mais la bande sonore la rend plus vivante. On atteint l'état contemplatif lorsque la prière contemplative n'est plus une expérience — ou une série d'expériences — mais un état constant de conscience. L'état contemplatif permet, simultanément, de se reposer et d'agir puisque l'on est enraciné dans la source même du repos et de l'action.

Certaines personnes réussissent à avoir un aperçu de ce qu'est l'union divine, puis en sont privées pendant quelque temps et doivent ensuite se hisser à nouveau jusqu'à elle. Dieu peut nous donner un élan à n'importe quel moment de notre vie spirituelle. Si vous prenez de l'avance au départ, il vous faudra revenir en arrière et combler les vides. Ne pensez pas que certains ont de la chance parce qu'ils ont eu des visions lorsqu'ils avaient cinq ou six ans. Ils devront toujours par la suite lutter pour démanteler le bagage émotionnel laissé par la petite enfance. Ce bagage n'est que temporairement neutralisé par l'action de Dieu. Ces personnes ont pourtant un gros avantage qui est de connaître, pour en avoir fait l'expérience, ce qui manque dans leur vie et elles savent de ce fait que seul Dieu pourra jamais les satisfaire pleinement. Il ne faut ni envier ni admirer la voie suivie par quelqu'un d'autre. Vous devez être persuadé que vous avez en vous tout ce qui est nécessaire pour parvenir à l'union divine. Toute attente constitue un obstacle, en ce sens qu'on souhaite s'y cramponner et qu'elle implique donc un désir de contrôle.

Ne vous attachez pas aux consolations, quelles qu'elles soient. Lorsque vous sentez l'amour de Dieu vous pénétrer, c'est une forme d'union, mais une union dont vous avez conscience. Ce n'est donc ni l'union pure ni l'union complète. La consolation d'ordre spirituel est si merveilleuse que la nature humaine la recherche avec avidité. On ne va pas simplement s'asseoir et prétendre qu'elle n'existe pas. On la recherche de tout notre être et on crie : « Si seulement je pouvais me rappeler comment j'ai fait pour y arriver ! »

Aussi longtemps que ce type de désir vous anime, vous essayez toujours de contrôler Dieu. Même si vous voyez les cieux s'ouvrir et Jésus assis à la droite du Père, n'y faites pas attention. Retournez au mot sacré. Vous n'avez rien à perdre. Les communications spirituelles accomplissent instantanément leur objectif avant même que vous ayez eu la chance d'y réfléchir. Vous avez reçu le bénéfice total du don, même si vous n'y repensez plus jamais. L'abandon des dons spirituels est la meilleure façon de les recevoir. Plus vous vous en détachez, plus vous pouvez les recevoir, ou plutôt mieux vous pouvez les recevoir. Il faut beaucoup de courage pour abandonner ce qu'il nous est donné de vivre de plus délicieux.

Dans l'oraison, pourquoi y a-t-il alternance entre la consolation et la désolation, entre le silence intérieur et le bombardement des pensées, entre la présence et l'absence de Dieu ?

Dans notre relation avec Dieu, les alternances ne sont pas radicalement différentes de celles entraînées par la présence et l'absence d'un être aimé. Le Cantique des cantiques décrit Dieu à la poursuite de l'âme, Sa Bien-aimée. Les pères de l'Église aimaient beaucoup ce verset : « Son bras gauche est sous ma tête et sa droite m'étreint » (Cantique des cantiques 2, 6). Selon leur interprétation, Dieu nous embrasse avec les deux bras. Du gauche, Il nous rend humbles et nous corrige ; du droit, Il nous élève et nous console en nous donnant l'assurance qu'Il nous aime. Si vous souhaitez être embrassé totalement par le Seigneur, il vous faut accepter les deux bras : celui qui permet la souffrance en vue de la purification et celui qui apporte la joie de l'union. Lorsque vous ressentez une douleur physique ou lorsque des luttes d'ordre psychologique vous tourmentent, vous devriez penser que Dieu vous presse particulièrement fort dans Ses bras. Les épreuves sont une expression de Son amour, non un rejet de Sa part.

Dans la prière contemplative, la détresse causée par l'absence de Dieu est souvent compensée par des expériences d'union divine. Plus on désire vivement l'union avec le Christ, plus on ressent de peine lorsqu'Il semble s'éloigner. La souffrance fait partie intégrante de la chaîne et de la trame de la vie. Elle n'est pas une fin en soi, mais elle est le prix que nous devons payer pour être l'objet de cet amour infini. L'amour, humain ou divin, nous rend vulnérables. Sur la voie spirituelle, l'alternance de joie et de chagrin nous aide à nous détacher de nos expériences psychologiques. Les véritables amoureux s'intéressent davantage à être aimés pour eux-mêmes que pour leurs étreintes. Il en est de même avec Dieu. Il souhaite être aimé pour Lui-même, pour ce qu'Il est, au-delà de nos expériences. La propension à chercher la récompense de l'amour, qui est d'être aimé en retour, est naturelle. Par ces alternances, l'Esprit nous apprend à aimer Dieu tel qu'Il est en Lui-même, quel que soit le contenu psychologique de notre expérience. Ce genre de liberté stabilise l'itinéraire spirituel. Dès lors, les vicissitudes du voyage, pour douloureuses qu'elles puissent paraître, ne troublent pas le cœur enraciné qu'il est dans l'amour divin.

Il existe un stade où la peine est joie et où la joie est peine. Peu importe alors de savoir ce qui est quoi puisqu'on est enraciné en un lieu où l'important c'est l'amour de Dieu. La peine peut alors être joie. C'est une façon de nous sacrifier totalement pour le Bien-aimé. La peine ne cesse d'être une peine, mais elle s'assortit d'une qualité qui la différencie d'une peine ordinaire. L'amour divin est la source de cette qualité. Il trouve dans la peine une façon de s'exprimer avec une plénitude qui ne serait autrement pas possible. Jésus crucifié est la manière dont Dieu exprime l'immensité de Son amour pour chacun d'entre nous, la preuve qu'Il nous aime de façon infinie et inconditionnelle.

Est-ce qu'une attirance intérieure vers le recueillement peut nous envahir durant la journée, dans le courant de nos activités ?

Certainement. Je recommande seulement que, lorsque vous conduisez une voiture, vous gardiez les yeux ouverts ! À part ce genre de situation, si vous en avez le loisir, ne vous en privez pas. Mais attention : vous pouvez également tomber dans l'excès. Le côté agréable de la prière n'en est pas l'objectif; c'en est plutôt l'introduction. Si vous pouvez être uni à Dieu sans l'intermédiaire de sentiments et de pensées, l'impression de séparation n'existe plus. La consolation spirituelle est un moyen d'apaiser les facultés mentales et de les guérir de leurs diverses blessures. Elle donne de Dieu une vision totalement différente de celle que l'on a lorsqu'on traite avec Lui en termes de bien et de mal, de juste et de faux, de récompense et de punition. À mesure que s'approfondit l'intimité avec Dieu, on ne devrait pas prolonger outre mesure le temps de prière. Lorsque vous avez des obligations, il vous faut alors sacrifier votre attirance vers le silence intérieur. Si, par contre, rien ne vous presse, je ne vois pas pourquoi vous ne pourriez pas céder au plaisir de cet attrait pendant cinq ou dix minutes, ou plus, si vous en avez le loisir.

Dans les ordres contemplatifs, il devrait y avoir un grand respect des expressions individuelles de la vie contemplative. À différentes périodes de notre cheminement, Dieu nous appelle à une vie communautaire plus intense ou, au contraire, à une plus grande solitude. Si vous êtes dans une communauté où vous ne pouvez avoir que l'une ou l'autre, la situation n'est pas très propice à une expression pleine et entière de votre vocation contemplative. Les communautés, même les meilleures, ont leurs limites. Dieu utilise parfois une situation de claustration pour amener quelqu'un à une plus grande perfection ; toutefois avec la sensibilisation générale aux besoins des personnes propre à notre époque, ces communautés feraient bien de ne pas oublier que les contemplatifs ont également des besoins auxquels il faut répondre dans une atmosphère de soutien et de bienveillance.

Quelques-unes des plus grandes souffrances des contemplatifs ne viennent pas de Dieu mais d'autrui. Lorsque sainte

Marguerite-Marie Alacoque recevait la vision du Sacré-Cœur de Jésus, elle entrait souvent en extase [1]. Et lorsque les autres religieuses se levaient au signal pour quitter le chœur, elle ne pouvait pas se relever. Ses supérieures l'accusaient alors de désobéissance puisqu'elle n'observait pas la règle. Certaines de ses consœurs la pensant dominée par le démon l'aspergeaient d'eau bénite pour se protéger et protéger les autres. Imaginez un peu leur tête lorsqu'elles essayaient d'exorciser cette pauvre Marguerite-Marie qui ne pouvait tout simplement pas s'arracher à l'amour de Dieu. Sa vie de prière se développait tout à fait normalement, mais ses sens succombaient sous le poids des grâces que Dieu lui donnait. Ultérieurement, lorsqu'elle est devenue plus mûre spirituellement, ses sens ne l'abandonnèrent plus et les autres religieuses n'ont plus été à même de percevoir quel état de prière elle avait atteint.

Dans la prière contemplative, le fait que la consolation spirituelle envahisse les sens et le corps est une phase de sa croissance. Certaines personnes y sont plus sujettes que d'autres. D'autres n'en font jamais l'expérience. Si cette expérience de transe est particulièrement forte, aucun muscle ne peut plus bouger et le temps peut passer sans qu'on s'en rende compte. L'oraison du silence intérieur peut vous donner une petite idée de la situation. Lorsque le temps d'oraison semble passer rapidement, on peut se rendre compte que, si l'on était à un niveau un tout petit peu plus profond, la notion de temps aurait disparu. Si quelqu'un s'approchait de vous et vous touchait, vous sursauteriez. Lorsqu'une communauté considère de tels phénomènes comme étant dangereux, diaboliques ou

---

(1) Poulain, *Les Grâces de la prière intérieure*, chapitre xiv.

peu susceptibles d'être vécus par d'humbles religieux, elle constitue un milieu médiocre pour le développement normal de la vie spirituelle. Malheureusement, depuis trois cents ans, de telles attitudes sont courantes dans les monastères en raison du climat anti-contemplatif qui prévaut. La crainte d'un faux mysticisme a conduit à des extrêmes tels que l'Inquisition qui considérait même les écrits de sainte Thérèse d'Avila et de saint Jean de la Croix comme suspects. Or ce dernier est maintenant reconnu comme l'un des plus grands mystiques que l'Église catholique ait jamais connus. Si même lui n'échappait pas aux soupçons de l'Inquisition, qu'en était-il alors des religieux ordinaires qui vivaient des expériences du même ordre mais ne pouvaient en parler clairement faute de n'être ni théologiens ni directeurs spirituels ?

Une chose est d'avoir la grâce de la prière intérieure, une autre de pouvoir la communiquer. Les deux ne vont pas nécessairement de pair. Il arrive parfois qu'une personne qui vit véritablement une expérience contemplative l'exprime de façon telle qu'elle choque les membres les plus conservateurs de son milieu. On la taxera alors d'hérétique alors qu'elle a plutôt des difficultés à s'exprimer.

Le langage mystique n'est pas le langage théologique. Il s'agit du langage du lieu clos, de l'amour et donc de l'hyperbole et de l'exagération. Lorsqu'un mari dit à sa femme qu'il l'adore, cela ne veut pas dire qu'il la considère comme une déesse. Il tente plutôt d'exprimer le *sentiment* d'amour qu'elle lui inspire dans une langue où les mots font défaut — d'où le recours à l'hyperbole. Si les personnes qui vous entourent ne comprennent pas ce genre de langage, elles risquent de penser que vous êtes sous l'influence du démon.

Comment le mouvement charismatique cadre-t-il avec votre
façon d'aborder la prière contemplative ?

L'apport extraordinaire du mouvement charismatique a
été de réveiller, chez les chrétiens contemporains, la croyance
en une activité dynamique de l'Esprit qui nous donne la force,
nous console et nous guide avec une inspiration qui ne faillit
pas. Ce mouvement a permis de redécouvrir aujourd'hui la
spontanéité des premières communautés chrétiennes décrites
par saint Paul et dans les Actes des apôtres. Les premiers
croyants se rassemblaient dans des communautés autour du
Christ ressuscité pour écouter le Verbe de Dieu dans l'Écriture, pour le célébrer par l'intermédiaire de la liturgie et pour
être transformés dans le Christ par l'Eucharistie. Dans ces
assemblées, la présence de l'Esprit se manifestait de façon
tangible par des dons charismatiques. Le don des langues
semble avoir été accordé pour encourager le croyant, et lui
seul ; de là, la restriction de son utilisation durant l'adoration
publique. L'interprétation des langues, la prophétie, le don
de guérir, l'enseignement, la conduite des affaires et les autres
dons pourvoyaient aux besoins spirituels et matériels des différentes communautés locales. L'évolution et la diffusion de
la tradition contemplative chrétienne à travers les siècles por-
tent témoignage de l'œuvre incessante de l'Esprit ; celle-ci
doit maintenant trouver son plein épanouissement dans ce
modèle scripturaire dont le renouveau charismatique a ranimé
la flamme.

Je connais un homme qui s'est engagé dans le mouvement charis-
matique ; il vivait des expériences spirituelles profondes et ne
savait pas ce qu'elles étaient. Le curé de sa paroisse non plus. Cet
homme était en contact avec une religieuse contemplative dans

un couvent, qui lui a dit : « Ne vous inquiétez pas ; ces expériences sont normales. » Elle lui a donné les références de textes mystiques appropriés et continue à lui donner des directives.

Le mouvement charismatique répond au besoin des chrétiens d'aujourd'hui d'appartenir à une communauté qui les soutient et de vivre une expérience personnelle de la prière. Le « baptême dans l'Esprit » est probablement une grâce mystique passagère provoquée par la ferveur du groupe ou par d'autres facteurs que nous ignorons. Le don des langues est une forme rudimentaire de la prière non conceptuelle. Étant donné que vous ne savez pas ce que vous dites, vous ne pouvez pas y penser. Les membres du mouvement charismatique ont besoin de ce que cet homme dont vous parlez a eu la chance de recevoir, à savoir aide et conseils donnés par une personne qui connaît la tradition de la contemplation chrétienne. Après avoir chanté les louanges de Dieu, partagé la prière avec d'autres, parlé en langues et prophétisé pendant quelques années, que faire à partir de là ? C'est précisément le moment d'introduire des périodes de silence dans le groupe car les membres sont maintenant pleinement prêts à avancer vers une expression plus contemplative de la prière. Si les réunions comportaient des temps de silence, le mouvement attirerait, je crois, davantage de personnes. Les groupes diffèrent de par leur composition et les ressources théologiques dont ils disposent, mais ils ont tous besoin d'aide en matière d'enseignement spirituel. Certains charismatiques s'opposent à la prière contemplative parce qu'ils croient que si vous ne pensez pas, le démon va commencer à penser pour vous. En fait, si vous priez dans le silence intérieur, le diable ne peut absolument pas vous approcher. En fait, le Malin a plus de chance de s'immiscer

dans vos pensées lorsque vous pratiquez la méditation discursive. Ce n'est que lorsque vous sortez du silence intérieur
et émergez à nouveau dans le monde des sens et du raisonnement qu'il peut mettre son grain de sel dans vos affaires.
Le mouvement charismatique a un potentiel énorme. Néanmoins, pour remplir sa promesse, il lui faut être ouvert à la
tradition contemplative chrétienne.

CHAPITRE VIII

Des pensées plus subtiles

      Lorsqu'on commence à pratiquer l'oraison du silence intérieur, le premier type de pensées qui se présentent régulièrement à la conscience ressemble plutôt à un vagabondage de l'imagination. Il se peut que nous évoquions ce que l'on faisait ou ce à quoi l'on pensait avant l'oraison. Notre attention peut également être retenue par un bruit perçu, un souvenir précis, voire quelques projets d'avenir. Pour reprendre une comparaison déjà utilisée, ces pensées sont comme des bateaux descendant le courant de la conscience. Notre réaction normale et habituelle est de dire : « Qu'est-ce que c'est que ça ? Que peut-il y avoir à bord ? » Il faut au contraire revenir en douceur au mot sacré, passer d'une pensée précise à une attention tournée vers Dieu, attention toute d'amour que réaffirme ce mot, et laisser le bateau s'en aller au fil de l'eau. Si un autre bateau arrive, laissez-le s'en aller de la même façon. Si toute une flotte paraît, laissez-la aussi passer.

    Au début, c'est un peu agaçant car vous préféreriez rester tranquille. Puis, peu à peu, votre attention parvient à se fixer sur deux niveaux à la fois : vous êtes simultanément conscient et des pensées superficielles et d'une présence indifférenciée qui, mystérieusement, vous attire. C'est une attention plus profonde, d'ordre spirituel. Vous avez conscience des deux niveaux à la fois. Il est plus important de chercher à approfondir ce type d'attention que de se préoccuper des pensées superficielles qui, après quelque temps, cesseront de vous absorber.

Le deuxième type de pensées qui se présentent pourrait se comparer à un bateau qui attire l'œil, capte votre attention et vous fait éprouver le besoin de monter à bord. Si vous cédez à la tentation, c'est comme si vous commenciez à descendre le courant. Dans une certaine mesure, vous vous êtes identifié à la pensée. En revenant au mot sacré, vous réaffirmez votre intention première qui était de vous ouvrir à la présence de Dieu. Le mot sacré est un moyen de se libérer de cette tendance à se laisser prendre par une pensée séduisante. Si vous êtes pris au piège, ou sur le point de l'être, lâchez vite prise par un mouvement intérieur très doux. Toute forme de résistance est en soi une pensée et, qui plus est, une pensée ayant une charge affective entravant votre intention initiale qui est d'entretenir une relation avec Dieu, de Le révérer dans le mystère de Sa présence. Laissez s'éloigner vos pensées et si l'une d'elles vous tente trop, retournez au mot sacré. Faites-le avec autant de douceur que possible, comme une goutte de rosée se posant sur un brin d'herbe. Si vous vous laissez perturber parce que vous êtes sorti des eaux silencieuses où vous vous trouviez bien, vous continuerez à descendre le courant.

Lorsque vous commencez à vous apaiser et à goûter une certaine paix, vous souhaitez ne plus penser à rien. Votre seul objectif est de rester calme. C'est alors qu'un autre type de pensée se manifeste. Ce pourra être une lumière extraordinaire concernant votre vie spirituelle ou une compréhension nouvelle et pénétrante de votre passé. Ou alors, vous voyez soudainement comment résoudre un problème qui se pose avec un membre de votre famille. Ou encore, vous découvrez le parfait argument pour convertir vos amis. Bien entendu, votre prière finie, vous trouvez que vos idées soidisant brillantes sont parfaitement ridicules. Elles semblaient extraordinaires dans l'obscurité des eaux profondes du silence, mais à la lumière du jour vous vous rendez compte qu'elles n'étaient qu'un appât pour vous faire sortir de la paix et du calme intérieurs.

De la même façon, vous éprouverez peut-être le besoin urgent de prier pour quelqu'un. Il est certes important de prier pour autrui, mais ce n'est pas le moment. Tout effort à ce moment-là ne donne pas les résultats escomptés. L'oraison du silence intérieur étant l'occasion qu'a Dieu de vous parler, ce serait comme si vous interrompiez quelqu'un qui souhaite vous faire une confidence. Vous savez bien ce que c'est lorsque vous essayez de dire quelque chose d'important à un ami qui ne cesse de vous interrompre. Dans cette prière, vous écoutez Dieu, vous écoutez Son silence. Votre seule activité est l'attention que vous offrez à Dieu, implicitement en abandonnant toute pensée, ou explicitement en retournant au mot sacré.

Les prédicateurs et les théologiens qui tentent de pratiquer la prière contemplative rencontrent une difficulté particulière avec un certain type de pensées que l'on appellera « bonnes ». Au moment même où ils parviennent à la paix intérieure, ils ont soudain une inspiration extraordinaire. Un problème de théologie insoluble depuis des années devient brusquement clair comme de l'eau de roche. La tendance est

de se dire : « Il faut que j'y réfléchisse juste une seconde car
après la prière j'aurai oublié. » Dans ce cas, c'en est fait du
silence intérieur. Une fois la prière terminée, l'idée brillante
a disparu. Lorsqu'on est dans un calme profond, on est tout
à fait susceptible d'avoir des lumières d'ordre intellectuel,
mais la plupart du temps, il ne s'agit que d'illusions. La nature
humaine n'aime pas être vide devant Dieu. Si vous persévé-
rez dans cette oraison, vous serez tenté par des démons jaloux
qui, vous voyant aller dans une certaine direction, essaieront
de vous faire chuter. Afin de gêner vos progrès, ils brandi-
ront différents appâts alléchants pour l'imagination. Tout
comme un petit poisson tout heureux dans les eaux profondes, vous vous sentez absorbé par Dieu de tous côtés
lorsque, soudain, cet appât arrive dans votre espace de paix.
Vous y mordez et c'en est fait de l'oraison.

Il peut être difficile de vous convaincre vous-même de la
valeur du silence intérieur. Pourtant, si vous voulez pratiquer
l'oraison de ce silence même, la seule façon d'y parvenir est
d'ignorer toutes les pensées qui se présentent. Qu'elle soit
une oraison du silence intérieur et rien d'autre. Si Dieu veut
vous transmettre des messages successifs, laissez-Le faire
pendant les vingt-trois heures restantes de la journée. Il sera
bien plus heureux de vous voir préférer Son silence. Dans
cette prière, Dieu ne parle ni aux oreilles, ni aux émotions
ni à l'intelligence, mais au cœur, à l'être intérieur. Il n'existe
aucune machine construite par l'homme pour comprendre
ce langage ou pour l'entendre. C'est une sorte d'onction dont
les fruits se manifesteront plus tard de façon indirecte : dans
votre calme, dans la paix qui émanera de vous, dans votre
désir profond de remettre entre les mains de Dieu tout ce
qui arrive. C'est la raison pour laquelle le silence intérieur

dépasse de beaucoup n'importe quelle pensée, même judicieuse. Ce silence vous évite également beaucoup d'ennuis. La pure foi est la voie la plus sûre et la plus directe vers Dieu. La nature humaine veut se souvenir des expériences spirituelles quelles qu'elles soient de façon à pouvoir se les expliquer ou les expliquer aux autres. Il est bon jusqu'à un certain point de se souvenir de ses expériences spirituelles, mais elles ne valent jamais le silence intérieur. N'y réfléchissez pas durant votre oraison. Si elles ont quelque valeur, elles vous reviendront plus tard. Plus votre silence intérieur est profond, plus profond sera le travail de Dieu en vous sans que vous vous en rendiez compte. La pure foi consent et s'abandonne au Mystère Ultime tel qu'Il est, non pas tel que vous pensez qu'Il est ou tel qu'on vous l'a dit, mais bien tel qu'Il est en Lui-même.

Dieu ne peut pas mieux communiquer avec nous qu'au niveau de la pure foi. Néanmoins nos facultés psychiques n'y sont pas sensibles car ce niveau se situe au-delà de toute perception. Nous ne pouvons appréhender Dieu. Nous ne pouvons pas Le nommer de façon adéquate. Nous ne pouvons pas Le connaître avec notre esprit ; seul notre amour peut nous Le révéler. C'est ce que certains auteurs mystiques anglophones appellent l'*inconnaissance*. C'est en *ne* Le connaissant *pas* selon les moyens par lesquels nous Le connaissons maintenant, qu'en fait nous Le connaissons *vraiment*. Visions, paroles inspirées ou extases ne sont que le glaçage du gâteau. L'essence de l'itinéraire spirituel, c'est la pure foi, la substantifique foi.

Un type particulier de pensées se manifeste lorsque notre moi psychique ordinaire est au repos. Si vous avez jamais fait du vin, vous savez qu'après que le vin nouveau a été séparé de la lie, on le verse dans un tonneau et on procède à une opération — que l'on appelle le collage — qui a pour but de le clarifier en précipitant les matières en suspension qu'il contient. Ce qui se passe dans votre psyché au cours de la prière contemplative est tout à fait semblable. Le mot sacré est l'élément clarifiant et le silence vers lequel il vous porte est le processus qui épure votre conscience. Au fur et à mesure que celle-ci s'épure, la présence de Dieu vous remplit de Sa lumière.

Il existe dans la prière contemplative une immédiateté de la conscience. C'est un chemin vers la redécouverte de la simplicité de l'enfance. Lorsqu'un nouveau-né prend conscience de son environnement, c'est moins *ce qu'*il voit qui le réjouit que *l'acte* de voir. J'ai une fois entendu parler d'une petite fille de riche famille, qui aimait jouer avec les bijoux de sa mère. Lorsque celle-ci n'était pas avec elle ou que la nounou ne pouvait l'arrêter à temps, elle prenait les diamants de sa maman et les jetait dans les toilettes. Elle adorait entendre le plouf que faisaient ces jolies pierres en tombant dans l'eau. Catastrophe lorsque, plus tard, elle sut tirer la chasse d'eau! Les parents et toute la maisonnée s'arrachaient les cheveux. Comment allaient-ils parvenir à guérir leur enfant chérie de cette terrible habitude? La petite fille ne s'intéressait nullement à la valeur des bijoux qui, aux yeux de sa mère, en avaient beaucoup. Ce n'était que le plouf des diamants tombant dans l'eau qui la fascinait. Elle avait la liberté et la joie que procure le véritable détachement.

À mesure que nous grandissons, il importe que nous formions notre jugement analytique sans pour autant perdre le plaisir de jouir de la réalité telle qu'elle est, la valeur de *simplement être* et de *simplement faire*. Dans l'Évangile, Jésus nous invite à devenir semblable aux petits enfants, à imiter leur innocence, leur confiance, leur contact direct avec la réalité. Bien entendu, Il ne nous invite pas à nous comporter en enfant ni à faire des colères. Si notre système de valeurs ne nous permet pas de jouir d'une chose sans que nous y attribuions un prix, nous passons à côté d'une bonne partie de la beauté de la vie. Si nous transposons ce système de valeurs à la prière, nous ne pourrons jamais apprécier Dieu. Dès que nous ressentons Sa présence en nous, nous nous disons bien entendu : « Dieu est vraiment en moi ! Quelle joie ! » et alors, c'est comme si nous prenions une photo de l'expérience. Toute réflexion est comme une photo de la réalité. Ce n'est pas notre expérience originale, mais ce sont des observations sur cette expérience. Tout comme une photo ne représente qu'approximativement la réalité, la réflexion nous fait reculer d'un pas par rapport à l'expérience telle qu'elle est. Lorsque nous faisons l'expérience de la présence de Dieu, si nous pouvions simplement ne pas y *penser*, nous pourrions nous y reposer pendant longtemps. Malheureusement, lorsqu'il s'agit du spirituel, nous sommes comme des affamés et nous nous accrochons coûte que coûte aux consolations spirituelles. Or, c'est précisément cette attitude possessive qui nous empêche de goûter l'expérience avec la simplicité et le plaisir d'un enfant.

Dans la prière contemplative, il vaudrait mieux, dans toute la mesure du possible, oublier nos expériences psychologiques et les accepter telles qu'elles sont lorsqu'elles se produisent. Si vous êtes en paix, parfait ; n'y pensez pas. Soyez simplement en paix et savourez ce sentiment sans y réfléchir. Habituellement, plus votre expérience de Dieu est profonde, moins vous serez capable d'en parler. Lorsque vous essayez de conceptualiser, vous avez recours à votre imagination, à votre mémoire et à votre raison — chacune d'elles n'ayant aucun rapport avec la profondeur et l'immédiateté de l'union divine. Dans cette situation, l'attitude de l'enfant est la seule possible. Vous n'avez rien à *faire*; vous n'avez qu'à vous reposer dans les bras de Dieu. Il s'agit moins de *faire* que *d'être*. Vous pourrez vaquer à toutes vos occupations avec beaucoup plus d'efficacité et de joie. La plupart du temps, notre voiture roule avec des cylindres qui auraient besoin d'être graissés ou qui sont un peu rouillés. Le plus souvent, notre réservoir de charité humaine est quasiment à sec dès midi. En vous ouvrant à la puissance de l'Esprit par la prière contemplative, votre capacité d'être disponible tout au long de la journée sera plus grande. Vous serez alors capable de vous adapter aux situations difficiles, voire de pouvoir faire face à des situations impossibles.

Le troisième type de pensées, si vous les laissez envahir votre esprit, vous empêche d'entrer en profondeur dans votre propre espace. C'est la raison pour laquelle il est préférable de laisser de côté n'importe quelle pensée, pour brillante qu'elle puisse paraître ou même si elle semble résoudre de nombreux problèmes. Vous pourrez toujours repenser à ces idées lumineuses plus tard dans la journée; ce sera alors le bon moment. Dans cette oraison, nous cultivons la pureté de la motivation. Or pour un chrétien, la motivation c'est tout. Lorsque la lumière — qui brille de façon permanente — ne rencontre en nous aucun obstacle, elle rayonne. Aussi longtemps que nous sommes sous l'influence du faux moi et de l'amour-propre, nos stores sont baissés. Malheureusement, le faux moi ne disparaît pas sur commande. Il ne nous suffit pas de dire : « Maintenant c'est terminé » pour nous

attendre à ce qu'il disparaisse. En effet, ce faux moi est extrêmement subtil. Sans l'aide spéciale de Dieu, nous pourrions
ne jamais y échapper. De plus, les épreuves qui nous échoient
risqueraient de nous accabler.

Plus que toute autre chose, ce qui renforce le faux moi
est notre tendance à vouloir posséder quelque chose, y compris nos propres pensées et nos propres sentiments. Il faut
vraiment abandonner cette tendance. La plupart d'entre nous
avons faim d'expériences spirituelles. Lorsqu'elles se mani-
festent, tout en nous y tend. Au début, elles sont irrésistibles.
Mais d'une expérience à l'autre, certaines bien amères, nous
découvrons qu'elles ne nous mènent à rien et voyons bien
que ce n'est pas la façon de procéder. Si nous sommes capables
d'abandonner cette attitude qui nous pousse à rechercher à
tout prix une paix intérieure profonde, nous accéderons à
une joie purifiée et à une liberté intérieure où l'expérience
spirituelle n'est plus au premier plan. Nous pouvons avoir
toute la consolation divine que nous voulons si nous n'essayons pas de la posséder. Dès lors que nous voulons la posséder, elle disparaît. Il nous faut accepter Dieu tel qu'Il est,
sans essayer de Le posséder. Quelle que soit l'expérience que
nous avons de Lui, nous devons la laisser partir, tout comme
les autres formes de pensées qui se présentent à notre
conscience. Une fois que nous sommes à même de comprendre que notre destination se trouve au-delà de n'importe
quel type d'expérience spirituelle, nous nous rendons compte
qu'il est inutile de nous retenir à quoi que ce soit en cours
de route. Alors, nous ne nous assiérons pas sous un palmier
dans quelque oasis. Certes, une oasis est rafraîchissante mais
elle n'est pas le but du voyage. Si nous poursuivons notre
route, ne serait-ce qu'en trébuchant ou en nous traînant, nous

parviendrons à cette liberté intérieure et à cette docilité à l'action de l'Esprit.

Le troisième type de pensées se produit lorsque nous entrons dans la paix profonde et que la recherche d'idées lumineuses — qui n'est qu'un leurre — nous entraîne loin de cette paix. Le mot sacré n'est pas un mantra au sens strict du terme puisque nous ne le répétons pas jusqu'à ce qu'il finisse par entrer dans notre inconscient, mais ce mot que nous avons choisi cristallise tous les éléments qui nous permettent de nous abandonner à la force d'attraction de la présence divine en nous. La consolation spirituelle est un rayonnement de cette présence, non la présence de Dieu comme telle. Dans cette vie, nous ne pouvons connaître Dieu et continuer à vivre. Le connaître directement, c'est précisément l'objet de la vie future. Ici-bas, le meilleur moyen de Le connaître est par pure foi, une foi qui dépasse toute pensée, tout sentiment, toute auto-réflexion. On ne connaît mieux la pure foi que lorsqu'il n'y a pas d'expérience psychologique de Dieu car Il est au-delà de l'expérience sensible et conceptuelle. L'état de pure foi est au-delà de tout ce qu'on peut imaginer. Il nous suffit de regarder autour de nous pour nous rendre compte que la présence divine est partout. Elle *est* tout simplement. Nous nous sommes ouverts suffisamment pour être *conscients* de ce qu'elle est sans pouvoir le *dire*.

Le quatrième type de pensées se présente également lorsque nous sommes dans une paix profonde qui embrasse tout, vide de pensées et d'images. Une plénitude mystérieuse, une sorte d'obscure clarté semblent nous entourer et pénétrer notre conscience. Nous goûtons un calme profond même si nous sommes vaguement conscients du courant ordinaire de pensées importunes. Celles-ci sont particulièrement pénibles à ce moment-là parce que nous savons très bien que si nous nous laissons entraîner par l'une d'entre elles, nous allons être poussés hors de cette paix. Nous ne voulons pas même retourner au mot sacré. Nous ne voulons rien faire, sauf nous permettre d'être baignés de la lumière et de l'amour qui semblent oindre tendrement notre être le plus intime. C'est comme si Dieu avait déposé un gros baiser au beau milieu de notre esprit et qu'à ce moment même, toutes les blessures, tous les doutes et tous les sentiments de culpabilité s'étaient trouvés guéris. L'expérience d'être aimé par le Mystère Ultime bannit toute crainte. Elle nous convainc que toutes les fautes que nous avons faites et que tous les péchés que nous avons commis sont complètement pardonnés et oubliés.

Pendant ce temps-là, dans ce silence, dans cet état de non-pensée, de non-réflexion et d'ineffable paix, cette pensée vous vient à l'esprit : « Enfin, je suis parvenu à cette union ! » ou « Quelle paix ineffable ! » ou « Si seulement je pouvais prendre un moment pour me rappeler la façon dont je suis parvenu à cette union, de sorte que demain je pourrai y revenir sans délai ». Et, à la vitesse de l'éclair, c'est fini, vous êtes rejeté sur la rive. Alors vous vous dites : « Oh, mon Dieu ! Qu'est-ce que j'ai fait ? »

Dans cette prière, comment laissez-vous Dieu agir ?

Dans toutes les circonstances, il est difficile de laisser Dieu agir. Dans cette prière, le mieux est de laisser dériver toute pensée et ne pas réfléchir à ce qu'on fait à ce moment-là. La méthode ne consiste pas à savoir comment on est assis ou à mesurer le temps que l'on donne, mais bien la façon dont on traite les pensées qui se présentent. Il me semble

que le point essentiel de toutes les grandes disciplines spirituelles élaborées par les religions du monde c'est l'abandon
des pensées. Tout le reste est accessoire. Le but est d'intégrer et d'unifier les différents niveaux de son être et d'abandonner cet être à Dieu.

> *Durant la prière contemplative, avez-vous conscience de Dieu
> ou est-ce que ce n'est qu'après que vous savez que Dieu était là ?
> Comment est-il possible d'être conscient de quelque chose et de ne
> pas y réfléchir ?*

Vous pouvez avoir conscience de la présence indifférenciée de Dieu et ne pouvoir y donner d'explication ration-
nelle. La pure conscience est l'immédiateté de l'expérience.
Notre formation et notre éducation nous ont programmés à
réfléchir, mais parfois une expérience nous absorbe tellement
qu'elle exclut toute réflexion. Est-ce que vous avez jamais
apprécié une chose de façon si intense que nous n'aviez même
pas le temps de penser à ce que vous appréciiez ?

> *Oui, mais on est conscient de ce plaisir, non ?*

Bien entendu. Simplement, ne réfléchissez pas au sentiment lui-même. Si vous le faites, vous réduisez l'expérience
à quelque chose que vous pouvez comprendre ; or, Dieu est
incompréhensible. La conscience que nous avons de Dieu
est toute pénétrée d'admiration, de révérence, d'amour et de
délice.

Nous sommes faits pour le bonheur et il n'y a rien de mal
à le rechercher. Malheureusement, la plupart d'entre nous
en sommes tellement privés que dès qu'il se présente, nous
y tendons de toutes nos forces et essayons de nous y accrocher à tout prix. C'est là l'erreur. La meilleure façon de le

recevoir est de le donner. Si vous redonnez tout à Dieu, vous serez toujours disponible, comme un vase vide et c'est alors qu'il y aura en vous davantage de place pour Dieu.

L'expérience de Dieu donne habituellement l'impression qu'on l'a déjà ressenti. Dieu nous convient si bien que toute expérience que nous avons de Lui est un sentiment de complétude ou de bien-être. Ce qui manquait en nous semble, de quelque façon, mystérieusement restauré. Cette expérience éveille tout à la fois confiance, paix, joie, révérence. Bien entendu, on pense immédiatement: «C'est merveilleux! Que faire pour que cela dure?» C'est la réaction humaine normale. Mais l'expérience nous montre que c'est précisément la pire chose à faire. La tendance innée à s'accrocher, à posséder est le plus gros obstacle à l'union avec Dieu. La raison pour laquelle nous sommes possessifs, c'est que nous nous sentons séparés de Dieu. Ce sentiment de séparation provient de notre nature humaine et de nos expériences habituelles. C'est en raison de cette méprise que nous faisons des efforts pour trouver le bonheur sur toutes les routes imaginables alors qu'il est en fait là tout près. Nous ne savons tout simplement pas comment le percevoir. Étant donné que la sécurité que nous devrions avoir en tant qu'êtres unis à Dieu nous fait défaut, nous cherchons à étayer l'image fragile que nous avons de nous avec n'importe quelle possession, n'importe quel symbole de pouvoir que nous pouvons acquérir. En retournant à Dieu, nous prenons le chemin inverse qui est d'abandonner tout ce que nous voulons posséder. Étant donné que rien n'est plus désirable ni plus délectable que le sentiment de la présence de Dieu, cela aussi doit être une pensée que nous consentons volontairement à abandonner.

Essayer de s'accrocher à la présence de Dieu, c'est un peu

comme tenter de s'accrocher à de l'air. Impossible d'en tailler un morceau pour le cacher dans le premier tiroir de son bureau. De même, il est impossible de tailler un morceau de la présence de Dieu et de le dissimuler dans le placard ou de le mettre dans le réfrigérateur jusqu'au temps de prière suivant. Cette prière est un exercice d'abandon total. À mesure que vous la pratiquez, elle vous aidera à abandonner les choses et les événements qui se présentent en dehors de ce temps. Cela ne veut pas dire que vous vous privez de ce que ce monde offre de bon. C'est uniquement le fait de vouloir s'accrocher ou s'accoutumer à des choses qui réduit le libre flux de la grâce de Dieu et qui fait obstacle aux délices de Sa présence.

Est-ce que les pensées continuent à se présenter tout le temps ? Il me semble que je peux rester dans un sentiment de paix pendant un certain temps. Et soudain, voilà les pensées qui déferlent à nouveau. Est-ce que c'est toujours comme ça ?

Dans tout temps de prière, il est normal d'entrer dans un sentiment de paix et d'en sortir, bien qu'il puisse y avoir des périodes tout à fait tranquilles du début à la fin. Dans ce cas, pourtant, vous risquez de connaître, durant votre oraison suivante, ce que les pilotes d'avion appellent des turbulences et vous serez alors ballotté avec des pensées incessantes et gênantes. Ce n'est pas une catastrophe mais une situation qu'il nous faut accepter. L'alternance entre paix et déluge de pensées fait partie intégrante du processus. Ce sont les deux côtés d'une même pièce de monnaie.

N'oubliez pas que l'oraison du silence intérieur n'est qu'une forme de prière qui n'en exclut pas d'autres à d'autres moments. C'est comme l'échelle de Jacob dans l'Ancien Testament. Après sa vision du Seigneur sous la forme d'un ange avec qui il s'est battu toute la nuit, Jacob s'endormit. Il vit une échelle qui allait de la terre au ciel avec des anges qui montaient et descendaient. L'échelle représente les différents niveaux de conscience ou de foi. Nous devons communiquer avec Dieu à tous les niveaux de notre être : avec nos lèvres, notre corps, notre imagination, nos émotions, notre esprit, notre intuition et notre silence. L'oraison du silence intérieur n'est qu'un barreau de l'échelle. C'est une façon de donner à Dieu une possibilité de nous parler. Même si nos conversations spontanées avec Dieu sont une bonne chose, il existe un niveau qui leur est supérieur. Tout comme dans l'amitié entre deux personnes, il existe un niveau où il faut converser ; mais à mesure que les liens s'approfondissent, ces deux êtres parviennent à un niveau de communion tel qu'ils peuvent rester assis ensemble sans rien dire. S'ils ne disent rien, cela signifie-t-il qu'ils ne goûtent pas, chacun, profondément la présence de l'autre ? Il existe évidemment différentes façons d'exprimer sa relation avec une autre personne et avec Dieu ; et cela se situe aussi à différents niveaux. Il est clair que Dieu agit avec nous de façon personnelle. L'oraison du silence intérieur ajoute une autre dimension à notre relation à Dieu, qui est plus intime que les autres niveaux. Il n'y a rien de mal à prier avec les lèvres, mais cela n'est pas la seule façon de prier ni la plus profonde.

Est-ce qu'il se pourrait que celui qui se livre à la prière contemplative pendant de longs moments de la journée en devienne en quelque sorte malade ?

Si vous disposiez de beaucoup de temps pour la prière et que vous vous trouviez dans une période de votre évolution spirituelle où vous éprouvez un profond sentiment de conso-

lation, l'oraison pourrait être si délectable que vous seriez
tenté de la prolonger le plus possible. Toutefois, l'objet de la
prière contemplative n'est pas d'être consolé. Sainte Thérèse
d'Avila se moquait de certaines religieuses qui, dans leur couvent, pratiquaient tant cette forme de prière qu'elles en deve-
naient malades. La raison en était que, en restant dans le
silence intérieur pendant sept, huit heures par jour, et même
plus, leurs sens n'exerçant plus leur fonction habituelle pendant de si longues périodes, elles éprouvaient probablement
ce que nous appelons aujourd'hui l'isolement sensoriel.
Lorsque nous passons beaucoup de temps dans le silence
intérieur, le métabolisme ralentit, ce qui veut dire qu'une
quantité moindre de sang arrive au cerveau. C'est une bonne
chose pendant un temps limité, tel qu'une retraite, mais si
vous procédez ainsi jour après jour, vous risquez de vous trouver désorienté. Si vous poursuivez ainsi pendant plus d'une
semaine, vous avez vraisemblablement besoin d'être super-
visé. Tout doit être fait avec une certaine modération. D'une
façon générale, les gens tendent à être exagérément prudents
lorsqu'il s'agit de leur santé et ils ne feront rien qui risquerait de la mettre en danger. Par contre, d'autres pourront faire
l'inverse ; ils risquent alors d'avoir besoin d'être modérés.

Est-ce qu'il est valable de prolonger le temps de prière contem-
plative ?

S'y livrer plus de deux fois par jour peut hâter le processus de connaissance de soi. En conséquence, vous risquez de
mieux voir certaines choses de votre passé que vous n'aviez
pas confrontées ou résolues auparavant. L'être humain est
ainsi fait qu'il évite de voir ses propres problèmes. De ce point
de vue-là, les progrès faits dans la pratique de la prière

contemplative font partie du processus de libération de tout ce qui nous empêche d'être complètement honnêtes avec nous-mêmes. Plus vous avez confiance en Dieu, plus vous pouvez affronter la vérité sur vous-même. Vous ne pouvez affronter qui vous êtes véritablement qu'en présence de quelqu'un en qui vous avez confiance. Si vous avez confiance en Dieu, vous savez que, quoi que vous ayez fait ou n'ayez pas fait, Il va continuer de vous aimer. En fait, Il connaît depuis toujours les zones sombres de votre personnalité et maintenant Il vous met dans le secret, comme un ami se confiant à un ami. Se connaître en profondeur, loin d'être perturbant, donne un sentiment de liberté. Cela mène jusqu'au point où l'on se dit : « Pourquoi même penser à moi ? » Alors vous avez la liberté de penser que Dieu est vraiment admirable et vous vous souciez peu de ce qui vous arrive.

Il semble paradoxal qu'à certains moments de l'oraison on prenne conscience du fait qu'on ne pense plus du tout. Que faut-il faire ?

Si effectivement vous ne pensez pas, il n'existe même pas la pensée que vous ne pensez pas. C'est simplement la pure conscience, et c'est l'objectif immédiat de la prière contemplative. Bien entendu, le but ultime est d'intégrer votre être tout entier dans ses aspects actif et passif, masculin et féminin, expressif et réceptif. Si vous commencez à avoir conscience du fait que vous ne pensez pas du tout et que vous ne puissiez tout simplement pas y penser, vous êtes parvenu au but. L'union divine n'est pas très loin. Bien entendu, vous finirez par être expulsé de ce délicieux silence et votre esprit recommencera à vagabonder. Aussitôt que vous remarquez que vous sortez du silence intérieur, retournez avec l'attention la plus douce à la Présence. La pensée de n'avoir pas de pensée est le dernier refuge de l'auto-réflexion. Si vous pouvez aller au-delà, consentez à oublier qui vous êtes et abandonnez ce besoin de savoir à tout prix où vous êtes ; vous entrerez alors dans une paix et une liberté plus profondes. Nous sommes intimement convaincus que si nous arrêtons de réfléchir sur nous-mêmes, nous allons nous désintégrer ou subir un sort affreux. C'est faux. Si nous cessons jamais de réfléchir sur nous-mêmes, nous entrerons dans la paix parfaite.

Je vois quand utiliser le mot sacré, mais je ne vois pas quand ne pas l'utiliser.

Il existe un état de non-pensée et c'est là que nous voulons aller. Il est insaisissable en raison de notre tendance invétérée à réfléchir. Cette tendance innée à avoir conscience de soi est le dernier bastion de l'égocentrisme. Saint Antoine le Grand est connu pour son célèbre adage : « Prier parfaitement c'est ne pas savoir que l'on prie. » Ce que je viens de décrire est l'état d'esprit dont parle saint Antoine. Lorsque vous priez parfaitement, l'Esprit prie en vous. Abandonner son faux moi à Dieu c'est mourir au faux moi. C'est l'expérience que Jésus tente d'expliquer à Nicodème lorsqu'Il lui dit : « À moins de naître d'en-haut » (Jean 3, 3). Il faut mourir avant de naître d'en-haut. Nicodème répond : « Comment un homme peut-il une seconde fois entrer dans le sein de sa mère et naître ? » (Jean 3, 4). Et Jésus continue : « Ce qui est né de la chair est chair, ce qui est né de l'Esprit est esprit. Ne t'étonne pas, si je t'ai dit : il vous faut naître d'en-haut. Le vent souffle où il veut ; tu entends sa voix, mais tu ne sais ni d'où il vient ni où il va. Ainsi en est-il de quiconque est né de l'Esprit » (Jean 3, 6-8). En d'autres termes, être porté par l'Esprit est une façon entièrement nouvelle d'être au monde.

> *Je pratique l'oraison du silence intérieur depuis plus d'un an, mais je m'accroche au mot sacré comme un homme qui se noie s'accroche à une bouée. Durant l'un des temps d'oraison d'aujourd'hui, c'est comme si la bouée était dans mon chemin, alors je l'ai éjectée. J'ai pensé que c'était un pas en avant.*

Mais certainement. Jetez votre gilet de sauvetage, car il ne sauve pas la vraie vie. Il faut que le faux moi meure pour que l'on puisse renaître dans l'Esprit et vivre par Lui.

> *À mesure qu'une personne progresse dans cette prière, aura-t-elle davantage besoin d'un directeur spirituel ?*

Il est des moments où une direction spirituelle peut être très utile car elle fournit encouragement et soutien. Dans la prière contemplative, vous traverserez de temps en temps des tempêtes. À mesure que vous irez plus profondément dans l'inconscient par le biais du silence intérieur, il se peut que vous tombiez sur quelque chose comme un puits de pétrole ; remontera alors une foule de choses. Vous pourrez traverser une période très difficile de plusieurs mois ou de plusieurs années. Ce sont ces périodes que saint Jean de la Croix appelle les nuits obscures. Dans une telle situation, on a besoin d'être rassuré. Pour certaines personnes, ces périodes sont plus dures que pour d'autres. Elles ont besoin d'être rassurées et c'est là qu'un directeur spirituel peut être d'un grand secours. Toutefois, s'il n'a pas l'expérience de ce genre de prière, il peut faire plus de mal que de bien.

Ce dont on a besoin parfois c'est d'attendre sans perdre courage. Lorsque ce puits se tarira, vous descendrez à une plus grande profondeur. Ou encore, c'est comme si on se trouvait coincé dans un ascenseur entre deux étages. Il faut simplement attendre que l'obstacle, quel qu'il soit, ait été retiré.

La direction spirituelle doit être assurée par une personne ayant suffisamment d'expérience pour être capable de percevoir avec quelque certitude où vous en êtes de votre progression spirituelle. Cette personne peut ordinairement le discerner d'après la vie que vous menez. Si, de toute évidence, vous cherchez Dieu mais avez des problèmes qui vous font penser que vous êtes le pire pécheur ayant jamais existé, le directeur doit savoir dire : « Oubliez tout ça ! Vous êtes la personne au monde qui a le plus de chance ! » Lorsque vous vous trouvez au milieu de la nuit de la purification, vous êtes très mauvais juge de votre propre cas. L'une des épreuves à laquelle il faut vous attendre est d'être incapable de trouver quelqu'un pour vous aider. Dieu peut très bien organiser les choses de cette façon, précisément pour que vous placiez en Lui toute votre confiance.

CHAPITRE IX

Le déchargement
de l'inconscient

        Le cinquième type de pensées provient du fait que la pratique régulière de la prière contemplative déclenche le dynamisme de la purification intérieure. Ce dynamisme est, en quelque sorte, une psychothérapie divine, organiquement conçue pour chacun de nous, en vue d'écarter tout ce qui, dans notre inconscient, fait obstacle au libre passage de la grâce dans notre esprit, dans nos émotions et dans notre corps.

L'expérience semble prouver de plus en plus que nous stockons dans notre corps et dans notre système nerveux, sous la forme de tensions, d'angoisses et de mécanismes de défense, les conséquences d'expériences émotionnelles traumatisantes vécues dans la petite enfance. Le repos et le sommeil ordinaires ne suffisent pas pour les dépasser. Mais grâce au silence intérieur et au profond repos qu'il apporte à l'organisme tout entier, ces blocages émotionnels commencent à se relâcher, et intervient alors le processus naturel, propre à l'être humain, d'éliminer les éléments qui lui sont néfastes. Tout comme le corps, la psyché a sa propre façon d'évacuer ce qui est mauvais pour sa santé. Durant l'oraison, les vieux

problèmes émotionnels de notre inconscient émergent sous
la forme de pensées qui présentent une certaine urgence, une
certaine énergie et qui ont une charge affective. L'origine de
ces pensées nous échappe généralement. Il s'agit simplement
d'un fatras d'idées et d'une impression vague et aiguë de
malaise. La meilleure façon de les évacuer est de les tolérer
sans s'y opposer.

Lorsque la paix profonde que procure la prière contemplative relâche nos blocages émotionnels, nous allons de plus
en plus profondément dans la connaissance des zones sombres
de notre personnalité. Nous nous imaginions naïvement que
nous faisions le bien dans notre famille, auprès de nos amis,
de nos collègues pour les meilleures raisons mais, à mesure
que ce dynamisme opère en nous, ce que nous appelions des
bonnes intentions ressemble davantage à un tas de vieux vête-
ments. Nous nous rendons compte que nous ne sommes pas
aussi généreux que nous l'avions cru, et ce, en raison de la
lumière divine qui brille plus fort dans notre cœur. L'amour
divin, de par sa nature même, nous fait percevoir notre
égoïsme inné.

Supposons que nous soyons dans une pièce faiblement
éclairée. L'endroit peut paraître relativement propre. Pourtant, si nous y allumons une centaine d'ampoules de mille
watts chacune et que nous examinions la pièce tout entière
à la loupe, nous y verrions grouiller toutes sortes de petites
bestioles étranges et étonnantes. La seule chose que l'on
puisse faire est de regarder. Il en est de même de notre inconscient. Lorsque Dieu augmente l'intensité de Sa lumière, notre
motivation prend un tout autre caractère et nous demandons
à Dieu, avec une grande sincérité, de nous accorder Sa miséricorde et Son pardon. C'est pourquoi la confiance en Dieu

est tellement importante. Sans cette confiance, nous risquons fort de fuir ou de nous dire : « Il doit bien y avoir une meilleure façon d'aller à Dieu. »

Dans la tradition ascétique chrétienne, la connaissance de soi est le discernement de nos motivations cachées, de nos exigences et de nos besoins affectifs qui, tous, nous pénètrent au plus profond et influencent, sans que nous en soyons totalement conscients, notre façon de penser, de sentir et d'agir. Voici un exemple. Lorsque j'étais abbé, fonction qui, dans un monastère, peut évoquer l'image du père, j'ai été frappé par le fait que certains jeunes membres de la communauté me traitaient inconsciemment comme leur véritable père. Je pouvais voir qu'ils essayaient de résoudre des problèmes qui remontaient à leur petite enfance et qui étaient liés à la relation avec le symbole d'autorité qu'était leur père. La relation qu'ils avaient avec moi n'était donc pas véritablement avec moi en tant qu'abbé. Lorsque, quotidiennement, on abandonne le flux ordinaire des pensées superficielles, on a une perspective plus nette sur ses motivations et l'on commence à se rendre compte que le système de valeurs qui a toujours été le sien prend ses racines dans des structures mentales acquises mais non raisonnées auxquelles on n'a jamais réfléchi vraiment et sincèrement. Nous avons tous des tendances neurotiques. Lorsque l'on pratique régulièrement la prière contemplative, les ressources naturelles dans lesquelles il faut puiser pour avoir une bonne santé psychique se trouvent revivifiées et l'on distingue mieux les faux systèmes de valeurs qui nuisent à notre équilibre. Le bagage émotionnel venant de la petite enfance enterré dans notre inconscient commence à émerger dans une conscience nette et pure.

Si notre psyché comporte des obstacles à notre ouverture à Dieu, l'amour divin commence à nous les faire percevoir. Si nous nous en détachons, nous nous ouvrirons peu à
peu à la présence de Dieu qui nous comblera. Le dynamisme
intérieur de la prière contemplative conduit naturellement
à la transformation de toute notre personnalité. Son objectif ne se limite pas à notre développement moral mais il
apporte un changement dans notre façon de percevoir la réalité et d'y répondre. Ce processus va de pair avec une
modification des structures mêmes de notre conscience.

À mesure que vous éprouvez le réconfort qu'apporte la
paix intérieure, vous avez davantage de courage pour affronter les zones sombres de votre personnalité et pour vous
accepter tel que vous êtes. Chaque être humain a le potentiel incroyable de devenir un être divin mais, en même temps,
il doit faire face à l'évolution historique de sa nature, depuis
les formes inférieures de la conscience. La nature humaine
a tendance à attendre toujours plus de la vie, du bonheur, de
Dieu ; mais il existe également une tendance autodestruc-
trice qui nous pousse à revenir à l'inconscient et au comportement instinctif animal. Même si nous savons bien qu'une
telle régression n'apporte aucun bonheur, cet aspect de la
condition humaine est toujours là, tapi en nous. Monsei-
gneur Fulton Sheen disait : « La barbarie n'est pas derrière
nous mais au-dessous de nous. » En d'autres termes, la violence et autres pulsions restent en nous à l'état latent et peuvent se déchaîner si nous ne les maîtrisons pas.

Il nous faut bien comprendre ces tendances et les équili-
brer si nous voulons connaître la plénitude de la grâce. La
prière contemplative favorise la guérison de nos blessures. En
psychanalyse, le patient revit des expériences traumatisantes

de son passé et, ce faisant, les intègre dans un mode de vie plus sain. Si vous êtes fidèles à la pratique quotidienne de la prière contemplative, ces blessures psychiques guériront sans que vous en soyez traumatisés à nouveau. Après l'avoir pratiquée pendant quelques mois, vous verrez qu'émergeront certaines pensées à la fois intenses et ayant une charge affective. Pourtant, ces pensées ne révèlent pas une expérience traumatisante vécue dans l'enfance ni certains problèmes non résolus de la vie présente. Ce sont simplement des pensées qui s'imposent à vous ou qui vous dépriment pendant plusieurs heures ou plusieurs jours. Sur le plan de la progression personnelle, elles ont une grande valeur, même s'il vous semble qu'elles vous obsèdent pendant toute l'oraison.

Lorsque le déchargement de l'inconscient commence véritablement, nombreux sont ceux qui ont l'impression d'aller à reculons, que la prière contemplative est pour eux une pratique impossible puisque, dès qu'ils se mettent à prier, ce n'est qu'une succession ininterrompue de pensées inopportunes. En fait, dans la prière contemplative il n'y a pas de pensées inopportunes, à moins que l'on ne veuille réellement se laisser distraire ou que l'on décide d'abandonner la partie. Des pensées vous viennent massivement à l'esprit? Aucune importance. Quels que soient leur nombre et leur nature, elles n'ont aucun effet sur l'authenticité de la prière. Si celle-ci se situait au niveau du rationnel, les pensées qui n'ont aucun lien avec votre réflexion seraient effectivement gênantes. Mais la prière contemplative ne se situe pas au niveau du rationnel: elle est consentement de notre volonté à la présence de Dieu en un élan de pure foi.

Les pensées ayant une charge affective constituent le principal moyen qu'a l'inconscient d'expulser de gros blocs

de ce vieux fatras émotionnel. Ainsi, sans que vous le perce-
viez, se résolvent un grand nombre de conflits cachés dans
votre inconscient et qui affectent vos décisions plus que vous
ne vous en rendez compte. Après un certain temps, vous
éprouverez donc un plus grand sentiment de bien-être et une
plus grande liberté intérieure. Les pensées mêmes qui vous
désespéraient durant votre prière libèrent la psyché des dégâts
qui se sont accumulés dans le système nerveux tout au long
de la vie. Dans la prière contemplative, pensées et silence ont
un rôle important à jouer.

Prenons un exemple un peu gauche. Dans les vieux quar-
tiers où le ramassage des ordures est parfois irrégulier, les
locataires de certains immeubles se servent de la salle de
bains pour entreposer les ordures. Si vous voulez prendre un
bain, la première chose à faire est donc de débarrasser la baignoire des ordures qui s'y trouvent. Dans la prière contemplative, c'est le même processus. Lorsque nous nous enga-
geons sur la voie spirituelle, la première chose que fait l'Esprit
est d'éliminer les vieux problèmes émotionnels qui nous tien-
nent captifs. Il veut nous emplir de Lui et transformer notre
organisme tout entier — corps et esprit — en un instrument
de l'amour divin. Toutefois, tant qu'il se trouve en nous des
obstacles, certains parfois inconscients, Il ne peut pas nous
emplir tout entiers. Dans Son amour et Son zèle, Il commence par nettoyer la baignoire. L'une des façons dont Il s'y
prend pour y parvenir est la purification passive amorcée par
la dynamique de la prière contemplative.

L'oraison du silence intérieur, dans la mesure où elle nous
met à la disposition de Dieu, est une sorte de demande que
nous Lui faisons de prendre en main notre purification. Il
faut du courage pour confronter le processus de la connais-

sance de soi, mais c'est la seule façon de trouver sa véritable identité et, en fin de compte, son vrai moi. Quand vous êtes nerveux, quand vous trouvez ennuyeux de rester assis à ne rien faire et à être assailli de pensées diverses et que vous préféreriez faire n'importe quoi d'autre, restez là quand même. C'est comme si vous étiez dehors sous la pluie sans parapluie : vous finissez par être trempé jusqu'aux os. Rien ne sert de gémir parce que vous avez oublié de prendre votre parapluie. La meilleure chose à faire est de vous laisser tout simplement inonder par le torrent de vos pensées. Il faut alors vous dire : « Je vais être trempé » et prendre plaisir à rester sous la pluie. Avant même de vous demander si votre temps de prière se passe bien, il se passe effectivement bien. Dès lors que vous vous posez la question, c'est beaucoup moins sûr. Si vous êtes assailli de pensées dont vous ne pouvez vous débarrasser, acceptez tout simplement le fait que c'est la façon dont votre oraison se déroulera ce jour-là. Moins vous vous agiterez, plus tôt ce sera fini. Le lendemain ou quelques jours plus tard, les choses iront mieux. Pouvoir accepter ce qui arrive dans le champ de la conscience est une partie essentielle de la discipline. Adoptez une attitude neutre vis-à-vis du contenu psychologique de votre prière. Ainsi, le fait que des pensées vous traversent l'esprit ne vous ennuiera plus. Offrez votre impuissance à Dieu et attendez paisiblement en Sa présence. Si vous êtes suffisamment patient, toutes les pensées se dissiperont.

Voici un autre point qu'il serait bon de se rappeler. Il arrive parfois, durant le processus de déchargement, que vous vouliez comprendre l'origine d'un rire, d'une démangeaison, d'une douleur ou d'un sentiment très fort dans votre psyché et, pour ce faire, que vous vous référiez à une période antérieure de votre vie. C'est inutile dans la mesure où ce processus, de par sa nature, n'est axé sur aucun événement particulier. Il décompose en bloc toutes les ordures, pour ainsi dire, et les déchets psychologiques finissent par se présenter comme une sorte de compost. C'est un peu comme se débarrasser des ordures. Vous ne séparez pas les coquilles d'œufs des pelures d'orange. Vous jetez simplement tout ensemble. Personne ne vous demande de les examiner de près ou d'essayer de les évaluer.

Il se peut également que des difficultés externes se présentent dans votre vie et aient un lien direct avec votre progression spirituelle. En fait, elles constituent un autre moyen que Dieu utilise pour vous amener à une connaissance plus profonde de vous-même et à une plus grande compassion pour votre famille, pour vos amis et pour autrui.

> *Il me semble que j'utilise les mots de la prière comme un moyen de résister aux pensées. Je ne sais pas si je comprends bien ce que veut dire s'immerger dans une émotion bouleversante sans s'y accrocher.*

Lorsque vous ressentez une agitation, une douleur physique ou des émotions intenses, telles que la crainte ou l'angoisse — ce qui arrive parfois au moment du déchargement de l'inconscient — le mieux est de vous arrêter sur ce sentiment douloureux pendant quelques minutes puis de laisser la douleur elle-même être votre prière. En d'autres termes, l'une des meilleures façons de vous détacher d'une émotion est simplement de la ressentir. Les émotions douloureuses, voire certaines douleurs physiques, ont tendance à se désintégrer lorsqu'elles sont totalement acceptées. Une démangeaison, des larmes ou un rire, constituent d'autres manifestations de l'élimination du stress. On a déjà vu certaines personnes prises d'un fou rire au milieu d'une oraison du silence intérieur. Elles venaient peut-être d'apprécier une plaisanterie entendue il y a longtemps, ce dont elles étaient auparavant incapables en raison de certains mécanismes de défense ; elles se sentaient enfin suffisamment humbles ou libérées pour en rire. Vous pouvez également fondre en larmes sans raison apparente. C'est qu'enfin vous exprimez un vieux chagrin qui s'était toujours trouvé refoulé. La prière contemplative permet, à sa façon, de terminer l'inachevé de votre vie en donnant aux émotions un exutoire sous forme d'humeurs ou de pensées qui semblent n'être qu'un fouillis. C'est la dynamique de la purification. L'intensité des sentiments de crainte, d'angoisse ou de colère peut n'avoir aucun lien avec votre vie actuelle. S'asseoir et repenser à ce genre de choses se révèlent plus utiles que des consolations. Dans l'oraison du silence intérieur, il ne s'agit pas d'éprouver un sentiment de paix ; il s'agit d'évacuer tous les obstacles qui s'opposent, dans notre inconscient, à l'état permanent d'union avec Dieu. L'*état* de contemplation, non la *prière* contemplative elle-même, est le but vers lequel on tend ; il ne s'agit pas de vivre des expériences euphorisantes ou rassurantes, quelles qu'elles soient, mais de ressentir profondément et de façon constante la présence de Dieu en nous, ce qui est possible grâce à la restructuration mystérieuse de notre conscience. À un moment donné de votre vie — et cela peut être au milieu de la nuit, dans le métro, ou au milieu de la prière — les changements qui doivent nécessairement s'opérer dans le système nerveux et la psyché finissent par arriver à complétude. Les problèmes propres à ce stade précis de la voie spirituelle se résolvent d'eux-mêmes et vous n'éprouvez plus ce que vous éprouviez auparavant. La restructuration de la conscience est le fruit de la pratique régulière. C'est la raison pour laquelle il n'est pas sage d'escompter des expériences particulières. Étant donné que vous ne pouvez pas imaginer un état de conscience que vous n'avez jamais connu auparavant, vouloir l'anticiper est une pure perte de temps et d'énergie. C'est la pratique qui finira par amener le changement de conscience. À ce stade du cheminement, ce qui se passe de plus important est l'apaisement du système affectif. Vous vous libérez des fluctuations émotionnelles parce que le système du faux moi sur lequel elles se fondaient est finalement en cours de démantèlement. Les émotions se présentent alors à l'état pur et ne vous bouleversent plus. C'est une merveilleuse libération de tout ce tumulte intérieur.

Lorsque vous vous sentez nerveux, ou qu'une situation affective vous peine, le mieux est vraiment d'attendre que ce sentiment disparaisse. Lorsqu'on ressent une émotion particulièrement bouleversante, la tentation est grande d'essayer de la repousser. Néanmoins, en permettant à votre attention de vous fixer avec douceur sur cette émotion et en vous y plongeant, comme si vous entriez dans un jacuzzi bienfaisant, vous étreignez Dieu par là même. Ne pensez pas à l'émotion, ressentez-la tout simplement.

Si vous étiez aveugle et recouvriez soudain la vue, vous apprécieriez même les choses les plus laides. Supposez alors que vous n'ayez jamais ressenti aucune émotion et que soudain vous en éprouviez une ; même la plus désagréable serait saisissante. En fait, aucune émotion n'est véritablement affligeante ; ce n'est que le faux moi qui l'interprète comme telle. Acceptez pleinement les fluctuations émotionnelles et elles disparaîtront peu à peu. Pour mettre ceci en pratique, il vous faut d'abord reconnaître et identifier l'émotion : « Oui, je suis en colère », « Oui, je suis paniqué », « Oui, j'ai très peur », « Oui, je suis agité ». Chacun des sentiments que nous éprouvons a du bon. Étant donné que Dieu est le principe de toute chose, nous savons que même un sentiment de culpabilité est, dans un certain sens, Dieu. Si vous arrivez à vous laisser complètement absorber par un sentiment, quel qu'il soit, comme si c'était Dieu, vous vous unissez à Lui puisque tout ce qui est réel a Dieu comme fondement. « Lâcher prise » n'est pas une expression simple ; elle est au contraire tout à fait subtile et comporte des nuances importantes — selon ce sur quoi vous avez l'intention de lâcher prise. Lorsqu'une pensée n'est pas affligeante, lâcher prise veut dire n'y pas faire attention. Par contre, lorsqu'elle l'est véritablement, vous ne vous en débarrasserez pas aussi facilement ; il faut donc lâcher prise d'une autre façon. Et l'un des moyens est de vous y plonger, de vous identifier à elle pour l'amour de Dieu. Cela peut ne pas sembler possible au début, mais essayez et voyez ce qui va se passer. La principale discipline de la prière contemplative est de laisser tomber tout ce qui encombre l'esprit.

Pour résumer ce que j'ai dit sur ce cinquième type de pensées, la prière contemplative est une partie d'une réalité qui est plus grande qu'elle. Il s'agit de tout un processus d'intégration, qui exige l'ouverture à Dieu au niveau de l'inconscient. Cela libère une dynamique qui sera parfois paisible, parfois aussi lourdement chargée de pensées et d'émotion. L'une et l'autre expériences font partie de ce même processus d'intégration et de guérison. Chacune d'elles doit donc être acceptée avec la même paix, la même gratitude et la même confiance en Dieu. Toutes deux sont nécessaires pour que le processus de transformation arrive à son terme.

Si vous êtes assailli par un déluge de pensées venant de l'inconscient, il n'est pas nécessaire de prononcer le mot sacré dans votre imagination ni de le répéter systématiquement dans un effort désespéré pour vous stabiliser l'esprit. Il faut simplement y penser aussi facilement que vous penseriez à n'importe quelle autre chose vous venant spontanément à l'esprit.

Ne résistez à aucune pensée, ne vous accrochez à aucune, ne réagissez affectivement à aucune. C'est exactement l'attitude qu'il faut avoir quand, dans le champ de notre conscience, apparaissent ces cinq types de pensées.

Lorsque mon oraison a été terminée, je me suis rendu compte que j'avais pleuré, mais je n'étais pas triste. À aucun moment de la méditation, je ne m'étais perçu comme étant triste.

Cela vous consolera peut-être de savoir que saint Benoît de Nursie, fondateur du monachisme occidental, pleurait presque continuellement. C'était sa façon de répondre à la bonté de Dieu. De même, nous ne pouvons tout dire, tout penser ni tout sentir. La seule réaction possible est de se fondre dans l'incroyable bonté de la présence de Dieu.

D'ailleurs, les larmes peuvent exprimer la joie tout autant que le chagrin. Elles peuvent également indiquer la libération de tout un fardeau d'émotions qui ne peuvent s'exprimer autrement. Dans la prière, si des larmes coulent, considérez-les comme un don, comme une réponse de la bonté de Dieu, don qui est simultanément joyeux et douloureux. Il peut arriver, en effet, que l'intensité d'une joie la rende douloureuse.

Durant la prière elle-même, il est bon de ne pas accorder trop d'importance à une expérience ou à une intuition particulière. Une fois la prière terminée, vous pourrez y réfléchir ; mais durant la prière, si vous remarquez que des larmes coulent, que vos lèvres sourient, que vos yeux papillotent, que vous ressentez des démangeaisons ou des douleurs, traitez-les comme n'importe quelle autre pensée et laissez aller tout ça. Retournez avec beaucoup de douceur au mot sacré. Prier ainsi, c'est apprendre à ne plus dépendre de la raison afin de connaître Dieu dans le silence intérieur ; d'une façon ou d'une autre, il faut se délivrer des obstacles qui nous empêchent d'y parvenir. Les pensées, les humeurs ou les sentiments d'abattement — qui peuvent durer plusieurs jours — sont des moyens qu'a la psyché d'évacuer le bagage émotionnel non digéré de toute une vie. Lorsque tout cela passera, votre substratum psychologique se sentira beaucoup mieux. C'est un peu comme lorsqu'on a la nausée ; l'impression de sentir son dîner remonter est désagréable, mais une fois qu'on a vomi on se sent soulagé.

Bien entendu, si une douleur physique dure pendant tout un temps de prière, il se peut que vous ayez effectivement quelque problème médical nécessitant la consultation d'un médecin. Mais bien souvent, il ne s'agit que d'un nœud affectif enraciné dans votre physiologie qui se défait, et cela se traduit par une brève douleur, des larmes ou des rires. Je connais des personnes qui ont été saisies de fou rire pendant leur oraison du silence intérieur. Je suppose que, dans leur inconscient, elles venaient enfin de comprendre un trait d'esprit qu'elles n'avaient auparavant jamais trouvé drôle. En approfondissant notre confiance en Dieu, nous arrivons peu à peu et selon notre progression personnelle à discerner les zones sombres de notre personnalité. Un bon thérapeute ne mentionnera à son patient des intuitions qui pourraient lui faire du mal que lorsqu'il sait que celui-ci est prêt à y faire face. Dieu agit de la même façon. En devenant plus humbles et plus confiants, nous sommes en mesure de percevoir plus facilement les mauvais côtés de notre nature. Finalement, nous atteindrons le cœur de notre pauvreté et de notre impuissance humaines et serons heureux de nous y trouver. Puis, nous entrerons dans la liberté de l'action créatrice de Dieu puisque notre personnalité ou nos talents seront débarrassés de toute trace d'égoïsme et de suffisance. Nous serons tout à la disposition de Dieu. Le but de cette prière est la liberté intérieure ; non pas la liberté de faire ce que l'on veut, mais la liberté de faire ce que Dieu veut — la liberté d'être notre vrai moi et d'être transformé dans le Christ.

Il semble y avoir dans l'oraison de quiétude une dimension qui est la guérison. C'est au moins ce dont j'ai fait l'expérience. Certaines personnes n'ont jamais subi de profondes blessures. Mais s'il y a de grandes plaies, l'oraison de quiétude semble un onguent lénifiant.

Oui, elle procure cet effet non négligeable. Saint Jean de la Croix enseignait que le silence intérieur est le lieu où l'Esprit oint secrètement l'âme et guérit nos blessures les plus profondes.

La guérison s'étend-elle au corps tout autant qu'à l'âme ?

Il est certainement possible de guérir certaines maladies en grande partie psychosomatiques en pacifiant notre vie affective.

Il me semble que Dieu a une façon de garder secret Son travail en nous de sorte que nous n'en sommes pas conscients, ce qui nous laisse avec quelque chose comme l'épine dans le côté de saint Paul, afin de nous garder humbles.

Ce qui est certain, c'est que la prière contemplative ne fait pas de nous des êtres glorieux, mais elle nous aide à supporter les infirmités telles que celles que vous avez mentionnées. Si d'aucuns connaissent quelques réussites au cours de leur prière, il se peut qu'ils aient besoin une fois de temps en temps d'une petite tape sur l'épaule pour les ramener à la réalité.

L'oraison du silence intérieur n'est qu'une introduction à la prière contemplative. À mesure que nous avançons dans cette voie, il devient plus difficile d'en parler, parce qu'elle n'entre pas comme telle dans l'expérience ordinaire de la vie psychique. Imaginez des rayons solaires dans une flaque d'eau. Ces rayons sont unis à l'eau tout en en étant parfaitement distincts car ils viennent d'ailleurs. De même, pour ce qui est de notre expérience de Dieu dans la prière contemplative, il n'est pas facile d'établir des distinctions. Moins on peut en parler, plus elle risque d'être présente. Elle est dans tout et à travers tout et, en quelque sorte, se dérobe à la vue.

Commencer quelque chose est toujours exaltant, mais à mesure que l'on s'habitue à la chose ou qu'elle devient une partie de soi, on commence à la tenir pour acquise. Elle ne soulève plus de poussière affective, ce qu'elle faisait lorsqu'il s'agissait d'une expérience nouvelle. Il se passe la même chose au début de l'itinéraire spirituel. Pour certains, la prière contemplative peut effectivement être très mystérieuse. Ils ne peuvent pas dire grand-chose de l'impression qu'ils éprouvent, excepté que c'est pour eux une réalité. Le type d'infirmités que vous avez mentionnées, manifestes à la fois pour eux et pour les autres, sont un excellent moyen de se les cacher et de les cacher aux autres. Dieu aime cacher la sainteté de Ses amis, en particulier à eux-mêmes.

Lorsqu'on progresse dans sa vie de prière, est-ce que l'on connaît toujours cette alternance de pensées successives et de moments de contemplation ?

À mesure que l'inconscient se vide, les fruits issus d'une nature humaine intégrée et le flux libre de la grâce qui en résulte se manifesteront d'eux-mêmes par un changement notable d'attitude. L'union que l'on découvre dans la prière contemplative ne sera pas réservée à ce moment-là et vous connaîtrez des moments de silence dans le courant de votre vie quotidienne. La réalité aura tendance à devenir plus transparente et sa source divine brillera à travers elle.

Lorsque tout ce qui se trouve dans l'inconscient aura été expulsé, ces pensées qui nous traversaient l'esprit au début n'existeront plus. Il y aura une fin à ce processus de purification. Alors, la conscience de l'union avec Dieu sera continue puisqu'il n'y aura plus aucun obstacle dans notre vie consciente ou inconsciente pour s'y opposer. La réalité en elle-même ne pose aucun problème ; c'est nous qui en posons un puisque nous ne pouvons pas la percevoir correctement en raison des obstacles qui sont en nous. Lorsque tous ces obstacles auront disparu, la lumière de la présence de Dieu illuminera notre esprit tout le temps, même lorsque nous serons en pleine activité. Au lieu d'être écrasé par les éléments extérieurs, le vrai moi, maintenant en union avec Dieu, les dominera.

Être conscients que nous ne sommes plus dépendants de nos réactions habituelles, c'est peut-être le premier pas dans la voie de la prière contemplative. En d'autres termes, nous avons conscience que nous ne sommes pas simplement un corps et que nous ne sommes pas simplement nos pensées et nos sentiments. Nous ne nous identifions plus aux objets extérieurs qui nous touchent au point de ne plus pouvoir penser à autre chose. Au contraire, nous devenons conscients de notre nature spirituelle. En nous repose la Trinité. Cette prise de conscience s'intègre alors à notre vie quotidienne et rien — quelles que soient nos activités ou nos émotions, quoi qui puisse nous arriver —, rien ne pourra éliminer le fait que la Trinité habite en nous.

Toutefois, le fait d'être indépendant et de prendre nos distances par rapport au monde extérieur ne constitue pas une indépendance absolue ; ce n'est que l'affirmation de notre vrai moi. Il faut continuer dans cette voie et pousser les choses plus loin. Puisque l'inconscient est libre de toute entrave, la conscience du niveau le plus profond en nous correspond également à la conscience du niveau le plus profond chez autrui. Et nous avons là le fondement même du commandement d'amour, qui est d'aimer son prochain comme soi-même. Lorsque nous nous aimons vraiment, nous prenons conscience que notre vrai moi est le Christ s'exprimant en nous, et nous prenons de plus en plus conscience que tout le monde dispose également de ce potentiel. Saint Augustin a écrit : « Un seul Christ s'aimant lui-même. » C'est là une bonne description d'une communauté chrétienne ; on prend conscience qu'une puissance plus grande que soi est agissante.

C'est alors que tout commence à être le reflet non seulement de sa propre beauté mais également de la beauté de sa Source : nous sommes unis à tout ce monde extérieur où Dieu demeure. L'intuition du Christ habitant en chacun de nous permet d'exprimer l'amour d'autrui avec une plus grande spontanéité. En effet, au lieu de ne voir que la personnalité, la race, la nationalité, le sexe, la situation de famille ou les qualités (que nous aimons ou que nous n'aimons pas), nous voyons ce qui est plus profond — notre union ou notre union potentielle avec le Christ. Nous percevons également le besoin désespéré que chacun a d'être aidé. Le potentiel spirituel de la plupart des personnes est encore à réaliser et ceci suscite une très grande compassion. Cet amour centré sur le Christ nous fait sortir de nous-mêmes et intègre notre indépendance nouvellement découverte à des relations qui ne sont pas fondées sur la dépendance — comme le sont beaucoup de relations — mais sur le Christ comme leur centre. On peut ainsi travailler pour autrui avec une grande liberté d'esprit puisqu'on ne cherche plus un objectif égocentré mais que l'on répond à la réalité telle qu'elle est.

L'amour divin n'est pas comme un manteau que l'on revêt, mais bien plutôt la véritable façon de réagir à la réalité. C'est la relation vraie à l'être, y compris le sien propre. Et cette relation est en premier lieu une relation du recevoir. On ne connaît de l'amour divin que celui que l'on a reçu. Une part importante de la réponse à l'amour divin, une fois qu'on l'a reçu, est de le transmettre à notre prochain d'une façon adaptée aux circonstances.

Est-ce que le but de cette oraison est de vous garder en union avec Dieu pendant toute la journée ?

Oui, mais au début il ne s'agira vraisemblablement pas d'une union permanente. Plus tard, à mesure que l'oraison évoluera, une union plus étroite dans la vie de tous les jours se fera de plus en plus sensible. Il est également possible d'être en union avec Dieu sans qu'aucune forme de souvenir n'affecte les sens. C'est ce que je veux dire quand je parle de préparer le corps à des états plus élevés de conscience. L'extase physique est une faiblesse du corps. Lorsque les sens ne sont pas prêts à supporter l'intensité des communications de Dieu, ils abandonnent tout simplement la partie et l'on est saisi hors du corps. Les mystiques qui ont atteint la maturité spirituelle et ont vécu ce stade éprouvent rarement l'extase physique. Ils ont intégré les communications spirituelles à leur nature physique et leur corps est alors suffisamment fort pour les recevoir sans en être physiquement incommodé, comme au départ. Vivre la vie divine devient en quelque sorte vivre la vie humaine ordinaire. Si vous connaissez les dix images associées au chan (zen), la dernière représente le retour à la vie ordinaire après l'illumination totale. Elle symbolise le fait qu'on ne peut pas distinguer entre la vie telle qu'elle était lorsqu'on a commencé et ce qu'elle est devenue, excepté que le quotidien en est totalement transformé.

Le triomphe de la grâce nous permet de vivre divinement notre vie ordinaire. Tout d'abord le souvenir de ces moments privilégiés nous sera constamment présent à l'esprit. Une fois ces moments totalement intégrés, les mêmes grâces nous seront accordées sans que nous y pensions. Nous serons totalement libres de vaquer à nos activités ordinaires en restant aussi unis à Dieu, sinon davantage. La prière permanente, au sens plein du terme, c'est précisément lorsque la motivation de toutes nos actions vient de l'Esprit. Sinon, il nous faut utiliser des méthodes pour nous unir à Dieu.

Il existe une différence entre *être* et *faire*. Une fois que notre être est transformé dans le Christ, cette transformation imprègne tout ce que nous faisons. Je suppose que c'est tout le mystère de l'attrait de Mère Teresa. Elle fascinait les foules. Les caméras la suivaient non pour sa beauté physique, mais parce qu'elle rayonnait du mystérieux caractère séduisant de Dieu. Je suis persuadé que ce n'est pas quelque chose qu'elle cherchait à faire, mais cela se produisait en raison de ce qu'elle était. C'est précisément le type de transformation qui résulte de la prière contemplative, car il est facile de rester bloqué à des niveaux inférieurs du développement spirituel. La difficulté est d'aller toujours plus avant ; si nous l'acceptons, nous voilà repartis vers une nouvelle étape.

Personne n'est jamais allé aussi loin dans la vie spirituelle que la Bienheureuse Vierge Marie car il n'y avait en elle aucun obstacle pour entraver sa progression spirituelle. Pour elle, grandir en grâce voulait dire grandir au milieu de la condition humaine, avec ses interminables épreuves ; et elle a vécu les plus lourdes épreuves. L'union transformante devrait nous permettre de faire face à des épreuves plus grandes que celles imposées à des chrétiens moins avancés dans la vie spirituelle. À quoi sert-il de construire un magnifique immeuble spirituel si l'on n'en fait rien ? Je suis sûr que Dieu ne veut pas simplement admirer les personnes qui sont saintes, mais Il souhaite qu'elles fassent quelque chose de cette sainteté. S'Il les a libérées de leur faux moi, c'était justement dans un but précis.

Supposons que nous soyons parvenus à la résurrection intérieure, à l'union transformante et que nous ne connaissions plus le bouleversement que créent nos émotions parce qu'elles ont toutes été transmuées en vertus. Le Christ vit alors en nous et nous avons conscience de cette union permanente. Supposons maintenant que Dieu demande d'abandonner cet état de lumière et de subir les mêmes épreuves (ou des épreuves pires) que celles connues auparavant. L'union avec Dieu existerait toujours, mais elle serait totalement cachée au niveau psychique. C'est une forme de souffrance indirecte. L'union transformante n'est pas du tout un billet gratuit pour le bonheur ici-bas. Pour les uns, ce sera peut-être une vie d'isolement total et très solitaire ; pour d'autres, ce pourra être un apostolat actif qui les empêche de goûter les délices de l'union divine ; pour d'autres encore, ce sera peut-être une souffrance intense — physique, mentale ou spirituelle — qu'ils endurent pour une intention particulière ou pour l'ensemble de la famille humaine. Leur humanité transformée donne à leurs souffrances une valeur immense pour la même raison que Jésus, en raison de Sa dignité divine, devint le Sauveur de tout être humain passé, présent et futur.

Durant sa dernière maladie, sainte Thérèse de Lisieux n'arrivait plus à penser au Ciel, bien que jusqu'alors cela ait été sa plus grande joie. Et pourtant elle avait parfaitement atteint l'union transformante, attestée par le transpercement de son cœur. Comme elle en était elle-même vaguement consciente, elle traversait une nouvelle nuit obscure offerte pour les incroyants de son temps. C'était, en effet, l'époque où la raison expliquait tout et où l'arrogance de l'intelligence humaine était probablement à son paroxysme.

Ainsi, les plus grandes épreuves de l'itinéraire spirituel peuvent se présenter *après* l'union transformante. Elles ne suppriment pas cette union, mais celle-ci est si pure que, comme un rayon de lumière traversant le vide absolu, elle n'est pas perçue. Ce serait là l'un des moyens les plus profonds d'imiter le Fils de Dieu qui a abandonné son être divin, comme le dit saint Paul, afin de prendre sur Lui les conséquences de la condition humaine. Jésus a renoncé aux privilèges de Son union unique avec le Père afin de connaître nos faiblesses et de faire siennes nos souffrances. Ce sacrifice ne pourrait être imité que par celui qui est parvenu à l'union divine et qui, alors, à la demande ou à l'insistance de Dieu, Lui rend tout le plaisir normal de cet état pour être plongé à nouveau dans d'insupportables épreuves. Cela est évident dans la vie d'un certain nombre de mystiques et de saints. Et, si je peux m'exprimer ainsi, Dieu ne va pas modifier sa façon de faire.

La vie, une fois qu'elle est en union avec Dieu, est ce que Dieu veut qu'elle soit. Elle est pleine de surprises. Vous pouvez être sûr que ce que vous espérez n'arrivera pas. Dans l'itinéraire spirituel, c'est la seule chose dont vous puissiez être sûr. C'est en abandonnant toutes vos espérances que vous serez conduit au *Medicine Lake*, terme que les Amérindiens utilisent pour désigner la prière contemplative. Le médicament dont tout le monde a besoin est la contemplation qui seule conduit à la transformation.

En pratiquant la prière contemplative, vous connaîtrez toutes sortes de vicissitudes. Vous pourrez être confronté à des situations qui vous laisseront dans une confusion totale. C'est alors que le Seigneur viendra à votre aide par le truchement d'un livre, d'une personne ou de votre propre patience. C'est parfois la volonté de Dieu de vous laisser seul, sans aucune aide. Vous aurez peut-être à apprendre à vivre des situations impossibles. Et ce sont les personnes qui pourront vivre en paix ce type de situations qui feront les plus grands progrès sur la voie spirituelle. Vous aurez à affronter la solitude et l'effroi existentiel. Vous pourrez avoir l'impression que personne au monde ne vous comprend ou ne peut vous aider et que Dieu est à un milliard d'années-lumière. Tout cela fait partie du processus de préparation. Dieu est comme un fermier préparant le sol de notre âme qui produira non pas simplement quarante ou soixante fois plus, mais cent fois plus. C'est dire que le sol doit être bien labouré. C'est comme si Dieu conduisait Son tracteur sur le champ de notre âme et hersait dans un sens, puis dans l'autre, revenant en décrivant des cercles. Et Il recommence encore et encore jusqu'à ce que le sol devienne aussi fin que du sable. Lorsque tout est prêt, la semence est semée.

On peut également prendre l'image d'un arbre qui grandit. Au début, vous voyez le tronc et les branches. Plus tard viennent les feuilles. L'arbre devient très beau et cette beauté est le stade de croissance auquel on pourrait comparer la joie ressentie lorsqu'on trouve pour la première fois la façon d'entrer dans le silence intérieur. Après les feuilles viennent les fleurs, autre moment d'intense satisfaction. Mais elles meurent rapidement et tombent sur le sol. Le fruit ne vient qu'à la fin de la saison et, même alors, il lui faut du temps pour mûrir sur l'arbre. Ne pensez donc pas que lorsque les feuilles puis les fleurs apparaissent la route est finie. Pas du tout. L'itinéraire spirituel est un long voyage.

D'autre part, il vous semblera également parfois refaire les mêmes choses ; vous aurez l'impression d'être revenu à votre point de départ et de n'avoir fait aucun progrès. Refaire les mêmes choses, c'est un peu comme monter un escalier en colimaçon. On semble revenir au point d'où l'on était parti mais en fait, on est à un niveau supérieur. Un aigle s'élevant vers le soleil revient toujours au même endroit sur le plan horizontal, mais plus haut sur le plan vertical.

Selon saint Jean de la Croix, le flux de la lumière divine dans notre âme est un rayon d'obscurité. Si nous voyons de la lumière dans une pièce obscure, c'est parce qu'il y a de la poussière. En effet, s'il n'y avait pas de poussière, le rayon lumineux traverserait directement la pièce sans qu'on puisse le voir. C'est un symbole du développement ultime de la prière contemplative : on est parvenu à un tel degré de pureté que la prière elle-même n'est plus perceptible. Elle est cependant manifeste dans la transformation progressive de la personne. Une telle personne témoigne de Dieu plus que n'importe quel sacrement.

N'est-ce pas là la signification de la fête de l'Immaculée Conception ? Nous sommes invités à devenir ce que Notre-Dame fut depuis le début, une pure transmission de la présence et de l'action de Dieu. La prière contemplative est l'école par laquelle il faut passer pour en arriver à un état contemplatif, moyen que Dieu utilise normalement pour nous amener à un état d'union permanente. Une fois parvenus à cet état, nous pouvons ne pas avoir vraiment conscience de la grâce de Dieu venant en nous, mais l'Esprit Saint est l'inspiration et la Source de tout ce que nous faisons.

CHAPITRE X

L'oraison du silence
intérieur en bref

L'oraison du silence intérieur vise à diminuer les obstacles qui se dressent d'ordinaire sur la voie de la contemplation et à préparer les facultés humaines à y participer pleinement. C'est une tentative pour mettre à jour l'enseignement des siècles passés en y introduisant ordre et régularité. La prière contemplative ne remplace pas les autres types de prière qu'elle replace, au contraire, dans une perspective nouvelle. Elle centre notre attention sur la présence de Dieu en nous. Par la suite, et de ce fait, cette attention s'ouvre vers l'extérieur pour découvrir Sa présence partout ailleurs. L'oraison du silence intérieur n'est pas une fin en soi mais un commencement. On ne la pratique pas pour avoir une expérience mystique mais pour qu'elle porte des fruits dans notre vie.

L'oraison du silence intérieur vise à arrêter le courant ordinaire des pensées, qui ne fait que renforcer la conception que nous avons du monde et de nous-mêmes. C'est un peu comme lorsqu'on passe, sur un poste de radio, des grandes ondes aux ondes courtes. Vous avez probablement davantage l'habitude d'un poste à grandes ondes et des stations qu'il peut retransmettre ; mais si vous souhaitez écouter des stations lointaines, il vous faut changer de longueur d'ondes. De même, si vous laissez de côté votre façon de penser et vos schémas émotionnels ordinaires, vous vous ouvrez à un nouvel aspect de la réalité.

LA MÉTHODE PROPREMENT DITE

Lorsque vous pratiquez cette prière, installez-vous confortablement de façon à être à l'aise. Fermez les yeux ; ainsi, la moitié du monde disparaît, car nous pensons habituellement davantage à ce que nous voyons. Afin de ralentir le flot habituel des pensées, n'en retenez qu'une et, dans ce but, choisissez un mot de une ou deux syllabes, qui vous convient.

Certaines personnes y préféreront un regard aimant tourné vers Dieu, mais les règles d'utilisation seront les mêmes que pour le mot sacré. Ce mot est sacré parce qu'il symbolise l'intention de s'ouvrir au mystère de la présence de Dieu au-delà des pensées, des images et des émotions. On le choisit non pour son contenu mais pour son intention. Ce n'est qu'un signal indicateur précisant la direction de nos aspirations intérieures toutes tournées vers Dieu et vers Sa présence en nous.

Commencez par introduire le mot sacré dans votre pensée, avec la même douceur que vous auriez pour déposer un pétale sur un lit de plume. Continuez d'y penser, sous quelque forme qu'il se présente. L'objectif n'est pas de le répéter de façon continuelle. En effet, ce mot peut se condenser, devenir flou ou n'être plus qu'une impulsion de la volonté ;

il peut même disparaître. Acceptez-le donc sous quelque forme qu'il se présente.

Lorsque vous vous rendez compte que vous pensez à autre chose, retournez-y pour exprimer à nouveau votre intention. Le prononcer distinctement ou à plusieurs reprises ne rend pas cette prière plus efficace ; l'important c'est la douceur avec laquelle vous l'introduisez dans la pensée dès le début, et la promptitude avec laquelle vous y retournez lorsque d'autres pensées retiennent votre attention.

Les pensées constituent une part inévitable de l'oraison du silence intérieur. Nos pensées ordinaires sont un peu comme des bateaux qui passent sur un cours d'eau ; il y en a tant qu'ils cachent l'eau même. Dans le contexte de cette prière, une «pensée» correspond à n'importe quelle perception qui traverse le courant de la conscience. Nous sommes en général conscients des objets qui, successivement, traversent ce courant : images, souvenirs, sentiments, impressions externes. Lorsqu'on en ralentit un instant le flot, on commence à voir s'établir entre les bateaux une certaine distance. C'est ainsi qu'apparaît la réalité sur laquelle ils flottent.

L'oraison du silence intérieur est un moyen de diriger son attention du particulier au général, du concret à l'indistinct. Au début, les bateaux qui passent constituent la préoccupation première — on veut savoir ce qu'ils transportent ; mais il faut les laisser s'éloigner, tout simplement. Si vous vous rendez compte que vous vous y intéressez, retournez au mot sacré comme l'expression de l'aspiration de votre être tout entier tourné vers Dieu présent en vous.

Le mot sacré est une simple pensée que vous évoquez à un niveau de perception toujours plus profond. C'est pourquoi vous acceptez ce mot sous quelque forme qu'il se pré-

sente en vous. Dans cette prière, le mot sur les lèvres est extérieur et n'a aucune raison d'être ; la pensée est intérieure, et
le mot, en tant qu'impulsion de votre volonté, est plus intérieur encore. Ce n'est que lorsque vous allez au-delà de ce
mot et pénétrez dans le domaine de la pure conscience que
le processus d'intériorisation est complet. C'est ce que faisait Marie de Béthanie au pied de Jésus. Elle allait au-delà
des mots qu'elle entendait pour rejoindre la Personne qui lui
parlait et entrait en union avec Elle. C'est ce que nous faisons lorsque nous nous asseyons pour prier selon cette
méthode et intériorisons le mot sacré. Nous allons au-delà
de ce mot jusqu'à l'union avec ce vers quoi il tend — Mystère Ultime, Présence divine, au-delà de toute perception
selon laquelle nous pouvons nous Le représenter.

LES CINQ TYPES DE PENSÉES

Divers types de pensées peuvent survenir dans le courant de la conscience lorsque nous commençons à calmer
notre esprit. Chacun appelle un comportement différent.

1. *Les vagabondages de l'imagination.* — Les pensées les
plus courantes sont des pensées superficielles sur lesquelles
l'imagination revient toujours en raison de sa propension
naturelle au mouvement perpétuel. Il est essentiel de les
accepter, simplement, et de n'y porter aucune attention. Ces
pensées sont un peu comme les bruits de la rue que l'on perçoit par la fenêtre d'un appartement où deux personnes
conversent. Chacune est attentive à l'autre mais inévitablement les bruits extérieurs leur parviennent. Il se peut qu'elles

ne les entendent pas du tout. Pourtant, à d'autres moments, les klaxons pourront interrompre momentanément leur conversation. Dans ce cas, la seule attitude raisonnable à avoir est de s'accommoder du bruit et d'y porter le moins d'attention possible. Les interlocuteurs se donnent ainsi mutuellement toute leur attention, autant que faire se peut, compte tenu de la situation.

2. *Les pensées présentant un attrait au niveau affectif.* — Le deuxième type de pensées se rencontre lorsque vous vous intéressez à quelque chose qui se passe dans la rue, pour reprendre la métaphore précédente : une querelle éclate et cela vous intrigue. C'est alors qu'il faut réagir. Le fait de retourner en douceur au mot sacré permet de revenir à l'attention aimante que vous offriez à Dieu. Il importe de ne pas vous en vouloir lorsque vous vous trouvez pris par ces pensées qui, par ailleurs, présentent un certain intérêt. Toute contrariété en vous constitue une pensée supplémentaire qui vous éloignera du silence intérieur, silence qui, en définitive, est le but immédiat de cette oraison.

3. *Les intuitions et les révélations psychologiques.* — Le troisième type de pensées se rencontre lorsque nous nous enfonçons dans la paix profonde du silence intérieur et que, brusquement, une séduisante idée nous vient à l'esprit. Ce qui semble une intuition théologique brillante ou une révélation psychologique extraordinaire, à la façon d'un appât savoureux, miroite à notre esprit : « Il faut que je prenne un instant pour être sûr de bien saisir la chose ! » Si vous acceptez ce type de pensée suffisamment longtemps pour la fixer dans votre mémoire, elle vous fera sortir des eaux profondes

et reposantes du silence intérieur. Il en est ainsi de toute pensée délibérée.

La prière contemplative exige l'abnégation de tout notre être intérieur. Ce n'est pas simplement une façon de se délasser, comme un petit verre à l'heure de l'apéritif, bien que cela puisse en être un effet secondaire. Elle suppose la négation de ce à quoi nous sommes le plus attachés — nos pensées, nos sentiments les plus secrets — ainsi que la source d'où ils proviennent, c'est-à-dire le faux moi.

Ce type d'ascétisme s'attaque aux racines de notre attachement au bagage émotionnel du faux moi. Il s'agit d'une abnégation complète et merveilleuse qui n'a pas à être pénible ou accablante pour être efficace. La question est de savoir comment choisir le type d'abnégation le plus utile et le plus approprié, et comment s'y appliquer.

4. *L'auto-réflexion.* — À mesure que vous goûtez une paix profonde et que vous vous libérez de ces pensées particulières, il se peut que naisse un désir de réfléchir à ce qui se passe en vous. Vous pouvez en effet vous dire : « Enfin, je suis parvenu à cette union ! » ou « Ce sentiment est délectable ! » ou encore « Si seulement je pouvais me souvenir de la façon dont j'ai réussi à arriver jusqu'ici, je pourrais y revenir quand je le voudrais ! ». Ce sont là quelques exemples du quatrième type de pensées qui viennent à l'esprit pendant l'oraison du silence intérieur. Vous avez alors le choix entre réfléchir à ce qui se passe, ou lâcher prise en laissant s'estomper la réflexion. Si vous laissez la pensée s'estomper, vous entrez dans un silence intérieur plus profond. Si vous y réfléchissez, vous en sortez et devrez recommencer le processus. Et il y aura de nombreux recommencements.

La réflexion est un pas en arrière par rapport à l'expérience. C'est une photographie de la réalité. Dès que vous commencez à réfléchir, c'en est fait de l'expérience. Penser longuement à une joie, c'est tenter de la posséder ; elle est alors perdue. Dans la prière contemplative, la tendance à réfléchir est l'une des choses les plus difficiles à dominer. Ce que nous voulons, c'est savourer le moment de joie pure, d'expérience pure, de conscience pure. Nous voulons réfléchir aux moments de paix ou d'union profondes pour nous souvenir de la façon dont nous y sommes parvenus, afin de savoir comment y revenir. Pourtant, si nous pouvions renoncer à cette tentation et retourner au mot sacré, nous accéderions à un nouveau degré de liberté, à une joie plus pure.

La présence de Dieu est un peu comme l'air que nous respirons. Nous pouvons en avoir autant que nous voulons, pourvu que nous n'essayions pas d'en prendre possession ni de nous y accrocher.

Cette prière est communion avec l'Esprit de Dieu qui est amour, don pur. Notre instinct de possession veut s'accrocher à tout prix à ce qui est agréable — et rien n'est plus délicieux que la présence divine étant donné le sentiment profond de sécurité et de tranquillité qu'elle apporte. Or, cette présence est incompatible avec l'avidité ; elle est totalement disponible, à condition que nous l'acceptions librement et n'essayions pas de la faire nôtre.

Il s'agit d'apprendre à capituler. Par le biais de nos nombreuses erreurs, l'oraison du silence intérieur nous apprend à ne pas être possessifs mais à lâcher prise. Si, pendant cette prière, vous pouvez abandonner la fâcheuse habitude de réfléchir à ce qui se passe, si vous pouvez éprouver un sen-

timent de paix et ne pas y penser, alors vous avez trouvé la
solution.

5. *La purification intérieure.* — Toute forme de méditation ou de prière qui transcende la pensée amorce la dynamique de la purification intérieure. Cette dynamique est une
psychothérapie divine. Elle permet à l'organisme de relâcher,
sous forme de pensées, les tensions profondément enracinées
en nous. En général, les pensées qui résultent de cette théra-
pie viennent sans que nous sachions d'où elles proviennent
ni pourquoi. Elles se présentent avec une certaine force ou
une certaine charge affective. Nous pouvons ressentir un sentiment intense de colère, un chagrin ou une crainte sans lien
avec le passé récent. Là encore, la meilleure façon de dominer ce type de pensées est de retourner au mot sacré.

Grâce à ce processus, le matériel psychologique non digéré
de toute une vie s'évacue peu à peu ; l'investissement émotionnel de la petite enfance dans des projets de bonheur
fondés sur des pulsions est démantelé et le faux moi fait place
au vrai moi.

Une fois que vous comprenez bien que les pensées sont
non seulement inévitables mais font partie intégrante du processus de guérison et de croissance dont l'impulsion première
vient de Dieu, vous pourrez les considérer positivement et
non plus comme des distractions pénibles ; vous pourrez les
replacer dans une perspective plus vaste englobant également
le silence intérieur. Dans le processus de purification, ces pensées — que vous ne désirez pas — ont leur utilité tout autant
que les moments de profonde tranquillité.

LE REPOS EN DIEU

Alors que vous vous apaisez et que vous allez plus profondément au-dedans de vous, il est possible que vous atteigniez un lieu où le mot sacré disparaîtra, où les pensées auront disparu. Ce moment est souvent ressenti comme une suspension de la conscience, un espace de liberté. Puis soudain, vous en avez conscience. « Où étais-je ? Le mot sacré était absent et je ne pensais pas. » Il se peut aussi que vous le ressentiez comme un lieu en dehors du temps. En fait, le temps est la mesure du mouvement. Si le flux ordinaire des pensées est réduit à un lieu virtuellement dépourvu de pensées successives, le temps de la prière passera comme un éclair.

L'expérience du silence intérieur — ou du « repos en Dieu » — dépasse la pensée, les images et les émotions. L'état de conscience vous dit que l'essence de votre être est éternelle et indestructible et que vous, en tant que personne, êtes aimé par Dieu et partagez Sa vie divine. Nombreux sont ceux qui, en général, parviennent effectivement au silence intérieur durant l'oraison. D'autres connaissent le calme et la tranquillité avec, simultanément, quelques pensées par-ci par-là. D'autres encore vivent rarement une telle expérience. Quels que soient la forme, le degré de silence intérieur, celui-ci doit être accepté mais non désiré, car le désirer serait encore une pensée.

CONCLUSION

Acceptez avec paix et gratitude tout ce qui se présente durant l'oraison du silence intérieur sans porter aucun jugement. Si même vous deviez connaître une expérience irrésistible de Dieu, ce n'est pas le moment d'y penser. Laissez s'estomper les pensées à mesure qu'elles se présentent. Le principe essentiel pour dominer les pensées qui vous viennent à l'esprit dans ce type de prière est le suivant : ne résistez à aucune, ne vous accrochez à aucune et n'y réagissez pas affectivement. Quels que soient l'image, le sentiment, la réflexion ou l'expérience qui attire votre attention, retournez au mot sacré.

Ne jugez pas la valeur de votre prière au nombre de pensées qui vous sont venues à l'esprit ou à la paix que vous avez ressentie. Ce n'est qu'à ses fruits à long terme que vous pourrez l'évaluer : vivez-vous votre vie quotidienne dans une plus grande paix, une plus grande humilité et une plus grande charité ? Étant parvenu à un silence intérieur profond, vous commencerez à dépasser le côté superficiel de vos relations avec les autres, telles la situation sociale, la race, la nationalité, la religion et les qualités personnelles.

Connaître Dieu de cette façon, c'est donner à toute réalité une dimension nouvelle. Le plein épanouissement de la prière contemplative a pour conséquence d'infuser dans la banalité quotidienne non pas simplement la pensée de Dieu, mais la conscience spontanée de Sa présence permanente dans tout, à travers tout et au-delà de tout. CELUI QUI EST, l'Infini, l'Incompréhensible et l'Ineffable, est le Dieu de pure foi. Dans l'oraison du silence intérieur, nous sommes en présence de la question humaine fondamentale — « Qui es-Tu Seigneur ? » — et nous attendons la réponse.

CHAPITRE XI

L'oraison du silence intérieur en retraite intensive

*A*u cours d'une retraite, il est possible de prolonger l'oraison du silence intérieur. Les membres d'un groupe qui pratiquent régulièrement cette oraison ensemble voudront peut-être également augmenter sa durée une fois par semaine ou une fois par mois.

Le fait de prolonger ou de multiplier les périodes d'oraison du silence intérieur peut permettre d'approfondir l'expérience de ce type de silence. Dans un tel contexte, cela peut même accélérer le processus de déchargement de l'inconscient. Nous donnons ici le compte rendu d'une session au cours de laquelle il y eut trois périodes de vingt minutes d'oraison séparées par une marche méditative de cinq à sept minutes, les uns derrière les autres, à un rythme intentionnellement très lent.

RETRAITANT I *J'ai trouvé que c'était une expérience très apaisante. La continuité au cours des trois périodes m'a apporté un profond sentiment de paix. Il n'y avait pas de rupture, même si nous nous sommes levés pour faire cette petite marche. Je pense que l'expérience d'une prière communautaire est*

extrêmement importante. J'en ai retiré une pensée plus pro-
fonde sur le partage de la prière, n'importe quel type de prière.

RÉPONSE En fait, la marche fait partie intégrante de
la prière. C'est une première étape pour intégrer le silence
intérieur dans une activité très simple.

RETRAITANT 2 *J'ai trouvé cela très, très apaisant, mais
j'avais aussi conscience de la quantité de pensées qui me sont
venues à l'esprit pendant les trois périodes. Elles ne déran-
geaient pas la paix, mais j'avais conscience de leur nombre.
J'avais également le sentiment que, parfois, tout mon corps
voulait aller plus profondément. J'ai trouvé que le temps avait
passé très vite.*

RETRAITANT 3 *Ce que j'ai discerné tout d'abord aujour-
d'hui, c'est le fait qu'il y a un élément de soutien dans une
prière collective. Je pratique l'oraison du silence intérieur par
moi-même depuis environ deux ans et je ne comprenais vraiment pas comment c'était possible en groupe ; j'avais donc
quelques doutes, mais ils sont maintenant dissipés.*

RETRAITANT 4 *Durant la première période d'oraison,
j'éprouvais une certaine nervosité, plus que jamais auparavant, mais quand est venue la troisième, elle a été paisible.
C'était la réponse à une question que je me posais depuis longtemps. J'ai souvent trouvé que mon temps d'oraison était
plutôt court — entre vingt et vingt-cinq minutes. Je me
demandais si, avec le temps, il n'allait pas se prolonger. Cela
ne s'est pas produit et cela me préoccupait. En fait, je me rends*

compte que, me fondant sur cette expérience, avec une petite pause au milieu, c'est tout à fait possible.

RETRAITANT 5 *Je dois dire que le temps a passé très vite et que la marche a plutôt rechargé mes batteries. Pour la deuxième période, le temps a passé encore plus vite, et de même pour la troisième.*

RÉPONSE Plus le silence que vous éprouvez est profond, plus le temps passe vite. Après tout, qu'est-ce que le temps ? Uniquement la façon de mesurer nos perceptions successives. Ainsi donc, lorsqu'il y a moins d'objets perçus, il y a moins de temps ; en tout cas, moins de conscience du temps. Quand rien n'est perçu, la notion de temps disparaît, et c'est ainsi lorsque la prière passe comme un éclair. Une prière aussi profonde est une anticipation de l'éternité. Elle est un aperçu de la mort ; non pas la mort au sens morbide du terme, mais dans un sens merveilleux.

RETRAITANT 6 *Au début, j'essayais délibérément d'être tranquille et je me mettais moi-même en travers du chemin. D'une façon ou d'une autre, au cours de la deuxième ou de la troisième période, j'ai ressenti un grand bien-être et éprouvé un sentiment profond de joie tranquille.*

RETRAITANT 7 *Au début, c'était plutôt ennuyeux, mais dans le courant de l'après-midi, j'ai ressenti comme une ouverture — c'était subtil —, ou c'était peut-être simplement le bien-être provenant de la disparition de toute tension intérieure.*

RÉPONSE Si vous persistez suffisamment longtemps dans ce type de prière, la résistance que vous opposez est peu à peu vaincue et vous finissez par faire ce que vous êtes censé faire de toute façon. Il y a donc avantage à vaincre ces résistances en douceur.

RETRAITANT 8 *J'ai trouvé la troisième méditation trop courte.*

RÉPONSE Selon le tempérament ou la grâce, on peut, lorsqu'on est seul, prolonger la prière. Mais lorsqu'on est en groupe, il est préférable de convenir d'une certaine durée qui n'est ni trop courte ni trop longue. Elle doit être suffisamment longue pour permettre à nos facultés d'y pénétrer et de s'apaiser, mais pas trop pour ne pas décourager les hésitants qui ne s'y mettraient jamais s'ils devaient tout à coup faire quelque chose qui leur semble interminable. Une période de prière divisée en trois temps successifs séparés par une courte marche contemplative est une bonne façon de nous montrer que nous sommes parfaitement capables d'un long moment de repos en Dieu.

RETRAITANT 9 *J'y ai trouvé un profond repos, tant et si bien que je me demande si je n'ai pas dormi, au moins une partie du temps. Au début, je ne savais pas si j'allais pouvoir faire les trois à la suite. En fait, une fois qu'on est dedans, ce n'est pas si difficile. Je ne sais pas encore très bien quoi faire avec le mot sacré, si je dois faire un effort pour le répéter ou simplement le laisser dériver.*

RÉPONSE Dans cette prière, la principale chose à ne pas oublier est qu'elle ne nécessite aucun effort ; elle ne suppose que la très douce activité d'écouter. C'est presque comme laisser le mot se dire de lui-même ; mais il vaut encore mieux supprimer complètement cette activité. Chaque fois que vous hésitez, vous êtes totalement libre de faire l'un ou l'autre, et c'est votre propre expérience qui vous dictera quoi faire. N'oubliez simplement pas que le silence est préférable au mot sacré. Ou, en d'autres termes, il *est* le mot sacré à son niveau le plus profond. Chaque fois que vous revenez au mot sacré, cela devrait être aussi facile que possible, comme s'il s'agissait d'une pensée spontanée qui vous vient à l'esprit. Il n'a pas besoin d'être explicite ni exprimé distinctement. Même la pensée d'y retourner peut suffire.

RETRAITANT 10 *Aujourd'hui, j'ai constaté que j'utilisais le mot sacré moins souvent.*

RÉPONSE L'utilisation ou la présence du mot sacré variera d'une oraison à l'autre selon les circonstances. Vous devez faire preuve d'une grande souplesse. Le principe est toujours de l'utiliser pour aller vers une plus grande paix, un plus grand silence et au-delà. En fait, une fois que vous êtes en paix, en silence et au-delà, n'y pensez plus.

RETRAITANT 11 *À chaque temps de prière, j'ai constaté que j'allais de plus en plus profondément. Et je me pose une question. Chaque matin, je fais mon oraison du silence intérieur puis je célèbre la messe. Mais je trouve difficile de sortir de cet état de prière. Que faut-il faire ?*

RÉPONSE Voilà un problème bien agréable !

RETRAITANT II *Mais est-ce que je ne devrais pas penser aux prières de la messe ? Au lieu de cela, je me trouve à prier selon votre méthode.*

RÉPONSE Si la présence divine vous prend tout entier et si vous ne menez pas l'assemblée, il n'y a aucune raison pour laquelle vous ne pourriez pas vous reposer en la présence de Dieu. Par contre, si vous avez quelque fonction à assumer — si vous êtes le principal célébrant, par exemple — évidemment vous devez faire avancer les choses et ne pas laisser les fidèles attendre jusqu'à ce que vous ayez terminé votre méditation.

RETRAITANT II *Le problème c'est que j'y trouve une joie plus grande que dans toute autre chose.*

RÉPONSE Il y a dans la vie des périodes où l'action divine est si forte qu'il est difficile d'y résister. Il y a également des périodes où le Seigneur semble vous oublier complètement. La principale chose est d'accepter ce qui vous arrive, quoi qu'il vous arrive, et de vous adapter à ce qu'Il permet. En faisant alterner en nous le sentiment de Sa proximité et de Sa distance, Dieu entraîne nos facultés à accepter le mystère de Sa présence au-delà toutes sortes d'expériences sensibles ou conceptuelles. La présence divine est très proche et immédiate lorsque nous faisons les choses les plus ordinaires. Il faudrait que la foi devienne transparente au point qu'elle n'ait besoin d'aucune expérience. Mais pour en arriver là, il faut vraiment beaucoup d'expérience.

Alors que, dans le silence intérieur, Dieu amène à la vie «l'homme nouveau», c'est-à-dire le *vous* nouveau, avec la vision du monde que le Christ partage avec vous dans le silence profond, Sa vision des choses vous pénètre et prévaut sur la vôtre. C'est alors qu'Il vous demande de vivre cette vie nouvelle dans les circonstances de la vie quotidienne, dans les habitudes de tous les jours, malgré le bruit, les contrariétés, les angoisses. Cela semble vous persécuter parce que vous souhaitez savourer ce silence pour vous. Il est néanmoins important de se trouver confronté à la vie de tous les jours. L'alternance entre le silence profond et l'action les unit peu à peu et vous devenez totalement intégré, parfaitement capable d'être à la fois actif et contemplatif. Vous êtes à la fois Marthe et Marie.

Nous avons tous ces deux capacités, mais dans des proportions différentes. C'est en développant tout le potentiel de chacune d'elles et en les intégrant l'une à l'autre que l'on devient un chrétien adulte, capable de produire, à partir de ses propres outils, de vieilles choses comme des choses neuves. C'est être capable d'agir comme de ne pas agir, d'arriver à passer à l'action comme de se retirer dans le silence. L'alternance de la prière contemplative et de l'action vous fait vivre peu à peu la dimension contemplative de l'Évangile qui est un état de conscience nouveau et transformé.

CHAPITRE XII

La prière contemplative dans le quotidien

L'oraison du silence intérieur est la pierre angulaire d'un engagement total à vivre la dimension contemplative de l'Évangile. Deux temps d'oraison chaque jour, de vingt à trente minutes chacun, un le matin de bonne heure et l'autre au milieu de la journée ou au début de la soirée ; c'est l'idéal pour que votre réserve de silence intérieur reste à son plus haut niveau, ou presque. D'autres personnes, plus disponibles, pourront commencer par une courte lecture de l'Évangile pendant dix à quinze minutes. Ceux qui souhaitent consacrer à cette forme de prière une heure complète le matin pourront commencer par la lecture de l'Évangile pendant une dizaine de minutes, poursuivre par l'oraison du silence intérieur proprement dite pendant vingt minutes, faire ensuite une lente marche méditative autour de la pièce pendant cinq à sept minutes, se rasseoir et entrer dans le second temps d'oraison ; elles disposeront encore d'une dizaine de minutes pour planifier leur journée, prier pour les autres ou converser avec le Seigneur.

Trouver le temps d'un second temps d'oraison plus tard dans la journée s'avérera parfois difficile. Si vous devez être disponible pour votre famille dès que vous franchissez le pas de la porte, vous pourriez envisager de prendre un peu sur votre heure de déjeuner, ou encore de vous arrêter dans une église ou dans un parc sur le chemin du retour. S'il est vraiment impossible de trouver un second temps, il faudrait pouvoir prolonger le premier. Il existe un certain nombre de pratiques qui permettent de maintenir sa réserve de silence intérieur pendant toute la journée et, ainsi, d'en mieux faire sentir les effets dans les activités ordinaires.

L'ORAISON DU SILENCE INTÉRIEUR AU QUOTIDIEN

1. *S'accepter vraiment.* — Ayez pour vous-même une véritable compassion, et cela inclut tout votre passé, vos erreurs, vos limitations et vos fautes. Attendez-vous à faire de nombreuses erreurs, mais qu'elles soient pour vous un enseignement. Savoir tirer une leçon de l'expérience est la voie de la sagesse.

2. *Choisir une prière pour tous les moments de la journée.* — Choisissez une expression de cinq à neuf syllabes, tirée de l'Écriture, que vous introduirez peu à peu dans votre subconscient en la répétant mentalement chaque fois que votre esprit est relativement libre, par exemple lorsque vous faites votre toilette ou le ménage ou même une promenade, lorsque vous conduisez ou faites la queue, etc. Synchronisez-la avec vos battements de cœur. Elle finira par venir d'elle-même, ce qui maintiendra un lien avec votre réserve de silence intérieur pendant toute la journée. Si vous avez tendance à être un peu scrupuleux et ressentez l'obligation de dire et redire

cette phrase, ou si la répétition fréquente suscite des maux de tête ou de dos, cet exercice ne vous convient pas [1].

3. *Passer du temps, tous les jours, à écouter le Verbe de Dieu dans la* lectio divina. — Donnez-vous un quart d'heure ou plus chaque jour, que vous consacrerez à la lecture du Nouveau Testament ou à un ouvrage spirituel qui vous parle au cœur.

4. *Avoir sur soi un petit « registre ».* — Il s'agira de textes courts (une phrase ou deux — un paragraphe au plus), extraits des auteurs spirituels que vous préférez ou de votre propre journal, et qui vous rappelleront votre engagement envers le Christ et la prière contemplative. Gardez-le dans votre poche ou dans votre sac à main et lorsque vous avez une petite minute, lisez-en quelques lignes.

5. *Démanteler délibérément le bagage émotionnel du faux moi.* — Repérez les émotions qui vous bouleversent le plus et les événements qui les déclenchent, mais sans analyser, rationaliser ni justifier vos réactions. Essayez de préciser la principale émotion que vous ressentez et l'événement qui l'a déclenchée puis relâchez les tensions qui s'accumulent par une courte phrase marquant une volonté ferme, telle que : « J'abandonne mon désir ! (de sécurité, d'estime, de pouvoir) [2]. » L'effort pour démanteler le faux moi ainsi que la pratique quotidienne de la prière contemplative sont les deux

---

[1] Voir Appendice I : « La prière active ».
[2] Voir Ken Jr. Keyes, *Manuel pour une conscience supérieure* (Édition universelle du Verseau, 1987), chapitres 14 et 15.

moteurs de votre vie spirituelle ; celle-ci, comme un avion à réaction, en a besoin pour décoller. Si l'oraison du silence intérieur peut parfois sembler moins opérante qu'on le souhaiterait c'est que, une fois l'oraison terminée et les activités habituelles de la vie quotidienne reprises, les programmes émotionnels se remettent à fonctionner. Les émotions bouleversantes commencent immédiatement à drainer la réserve de silence intérieur que vous avez créée durant l'oraison. D'autre part, si vous vous employez à démanteler les centres d'énergie qui suscitent ces émotions, vos efforts prolongeront les effets bénéfiques de la prière contemplative dans tous les aspects de la vie quotidienne.

6. *Pratiquer la garde du cœur* [1]. — Il s'agit de libérer les émotions bouleversantes et de les intégrer au moment présent. Vous pouvez procéder de trois façons : faire effectivement ce que vous êtes en train de faire, diriger votre attention sur quelque chose d'autre, offrir au Christ ce que vous ressentez. Cela exige l'abandon immédiat des aversions et des goûts personnels. Nous essayons spontanément de modifier tout ce qui se produit et qui ne correspond pas à nos plans. Néanmoins, notre première réaction devrait être l'ouverture à ce qui se passe en réalité, de sorte que, si nos plans sont bouleversés, nous n'en sommes pas contrariés. De ce fait, nous pouvons sans peine modifier nos plans presque sur-le-champ. Nous pourrons aussi accepter les situations pénibles lorsqu'elles se présenteront. Nous pourrons ensuite décider que faire : les modifier, les redresser ou les amélio-

---

[1] Dans l'optique de ce que propose le verset 23 du chapitre 4 des Proverbes.

rer. En d'autres termes, ce sont les événements ordinaires de la vie quotidienne qui deviennent le support de notre prière. Je n'insisterai jamais trop sur ce point. Les laïcs ne doivent pas se référer à un modèle de vie monastique pour s'acheminer vers la sainteté ; ce cheminement doit s'intégrer à la routine de la vie quotidienne. La prière contemplative veut, en définitive, transformer la vie de tous les jours faite d'activités incessantes et bien terre à terre.

7. *Accepter les autres tels qu'ils sont.* — Cette pratique est particulièrement efficace pour calmer les sentiments très violents que l'attitude des autres suscite en nous : crainte, colère, courage, espoir et désespoir. En acceptant les autres tels qu'ils sont, vous contrôlez les émotions qui vous poussent à vous venger ou à vous éloigner d'eux. Vous permettez ainsi aux personnes d'être ce qu'elles sont, avec toutes leurs idiosyncrasies et ce comportement particulier qui dérange. La situation se complique lorsque vous vous sentez dans l'obligation de faire des observations. Si vous agissez sous le coup de la contrariété, il est certain que vous n'arriverez à rien de positif. Ce que vous direz réveillera alors les mécanismes de défense de la personne et lui donnera l'occasion de rejeter la responsabilité de la situation sur vous. Attendez d'être calme puis dites ce que vous avez à dire par souci authentique de l'autre.

8. *Démanteler délibérément une identification excessive à un groupe.* — Il s'agit d'abandonner notre conditionnement culturel, nos idées préconçues, notre identification excessive aux valeurs d'un groupe donné. Cela suppose également d'être ouvert à un changement en nous-mêmes, à un développe-

ment spirituel au-delà de la fidélité à un groupe, à tout ce que l'avenir nous réserve.

9. *Assister régulièrement à la messe.* — Participez régulièrement, dans l'Eucharistie, au mystère de la passion, de la mort et de la résurrection du Christ, source de la transformation chrétienne.

10. *Faire partie d'un groupe de prière contemplative.* — Organisez un groupe de réflexion — ou inscrivez-vous à un groupe existant déjà — qui se rencontre chaque semaine pour pratiquer ensemble l'oraison du silence intérieur et la *lectio divina* et pour vous encourager mutuellement à l'engagement envers la dimension contemplative de l'Évangile [1].

POUR LES TEMPS DE TENTATION

1. Être résolu à persévérer dans la progression de sa vie spirituelle.
2. Croire en la miséricorde infinie de Dieu.
3. Vivre continuellement en la présence de Dieu par la prière et l'ouverture à Ses inspirations.

---

[1] Voir Appendice II : « Le groupe hebdomadaire ».

CHAPITRE XIII

Pour une vie, une progression et une transformation au nom du Christ

*L*es principes que nous donnons ici voudraient redéfinir l'itinéraire spirituel chrétien en termes d'aujourd'hui, principes qui sont le fondement même de l'oraison du silence intérieur. Il faudrait pouvoir les lire selon la méthode de la *lectio divina*.

1. La bonté fondamentale de la nature humaine, tout comme le mystère de la Trinité, de la Grâce et de l'Incarnation, est un élément essentiel de la foi chrétienne. Cette bonté intrinsèque est capable d'un développement sans limite puisqu'il s'agit de se transformer dans le Christ et, de ce fait, de participer à Sa divinité.

2. Notre bonté inhérente, c'est notre vrai moi dont Dieu est le centre de gravité. Accepter notre bonté innée constitue un pas de géant dans la voie spirituelle.

3. Dieu et notre vrai moi ne sont pas distincts. Bien que nous ne soyons pas Dieu, Dieu et notre vrai moi ne font qu'une seule et même chose.

4. Parler de *péché originel* c'est décrire, en quelque sorte, la condition humaine qui est l'expérience universelle d'arriver à une pleine connaissance de soi et d'en prendre conscience sans avoir la certitude d'une union personnelle avec Dieu. Cela suscite en nous un sentiment profond d'incomplétude, de morcellement, d'isolement et de culpabilité.

5. Le péché originel n'est pas la conséquence d'actions mauvaises de notre part. Pourtant, il suscite un sentiment d'aliénation qui nous envahit et nous tient séparé de Dieu, d'autrui et de notre vrai moi. Il en résulte des façons de penser et d'agir acquises dès l'enfance, qui se transmettent d'une génération à l'autre. Le besoin urgent d'échapper à l'insécurité profonde de cette situation provoque, lorsqu'il n'est pas contrôlé, des désirs insatiables : plaisirs, possessions, pouvoir. Sur le plan social, il engendre la violence, la guerre et l'injustice.

6. Les conséquences particulières du péché originel englobent tout : les habitudes égocentriques qui ont été incorporées à notre personnalité depuis le moment où nous avons été conçus, les dégâts émotionnels causés par le milieu de notre enfance et par notre éducation, le mal que d'autres nous ont fait, sciemment ou non, à un âge où nous ne pouvions pas nous défendre, les moyens que nous avons acquis, et devenus pour la plupart inconscients, pour ne pas éprouver la douleur causée par des situations insupportables.

7. Cette constellation de réactions irrationnelles constitue le fondement du faux moi. Celui-ci se développe en opposition au vrai moi et son centre de gravité est lui-même.

8. La grâce est la présence et l'action de Dieu en nous à chaque instant de notre vie. Les sacrements sont des actions

rituelles dans lesquelles le Christ est présent de manière particulière, confirmant et soutenant les principaux engagements de notre vie chrétienne.

9. Par le Baptême, le faux moi est rituellement mis à mort, le nouveau moi naît et la victoire sur le péché que Jésus a gagnée par Sa mort et Sa résurrection devient nôtre. Ce n'est pas l'unicité de notre personne, mais notre sentiment de séparation de Dieu et des autres qui est dissipé par les eaux baptismales car elles détruisent la mort et donnent la vie.

10. L'Eucharistie est la célébration de la vie : le rassemblement de tous les éléments matériels du cosmos, leur émergence à la conscience chez les êtres humains et la transformation de la conscience humaine en conscience divine. C'est la manifestation du Divin dans la communauté chrétienne et à travers elle. Nous recevons l'Eucharistie afin de devenir Eucharistie.

11. Le Christ est non seulement présent dans les sacrements mais également, de manière tout à fait spéciale, dans chaque crise et dans chaque événement de notre vie.

12. Le péché personnel est le refus de répondre à la communication du Christ, c'est-à-dire à sa grâce. C'est la négligence délibérée de nos propres et véritables besoins et de ceux des autres. Il renforce le faux moi.

13. Le fondement même de la bonté qui est en nous est dynamique et croît de lui-même. Ce sont les illusions et les obsessions émotionnelles du faux moi, les influences négatives provenant de notre conditionnement culturel et le péché personnel qui entravent cette croissance.

14. L'écoute de la Parole de Dieu dans l'Écriture et dans la liturgie, l'attente de Dieu dans la prière et la disponibilité à Ses inspirations permettent, dans des circonstances données, de distinguer le fonctionnement du faux et du vrai moi.

15. Dieu n'est pas un être éloigné, inaccessible et implacable qui exige la perfection instantanée de la part de Ses créatures et dont nous devons mériter l'amour. Ce n'est pas un tyran à qui l'on doit obéir par crainte, ni un policier préoccupé d'abord de nous prendre en flagrant délit, pas plus qu'un juge cruel toujours prêt à rendre un verdict de culpabilité. Notre relation avec Lui doit être pensée de moins en moins en termes de récompense et de punition, et de plus en plus en termes de gratuité — le *jeu* de l'amour divin.

16. L'amour divin est compatissant, tendre, lumineux, totalement désintéressé ; il ne cherche aucune récompense et unifie tout.

17. Le fait d'être aimé de Dieu nous permet d'accepter notre faux moi tel qu'il est, puis de l'abandonner et de nous acheminer vers notre vrai moi. L'itinéraire intérieur vers ce vrai moi est la voie vers l'amour de Dieu.

18. La conscience croissante de notre vrai moi va de pair avec une joie et une paix spirituelles profondes et contrebalance la douleur psychique qu'entraînent la désintégration et la mort du faux moi. À mesure que diminue le pouvoir de motivation du faux moi, notre vrai moi construit le *nouveau moi* grâce à la force vivante de l'amour divin.

19. La construction de ce *nouveau moi* sera inévitablement jalonnée d'innombrables erreurs et parfois de péchés.

De tels échecs, pour graves qu'ils soient, sont insignifiants comparés à la bonté inviolable de notre vrai moi. Nous devons demander pardon à Dieu, rechercher le pardon de ceux que nous avons offensés, puis agir avec une confiance et une énergie renouvelées comme si rien ne s'était passé.

20. Un sentiment de culpabilité prolongé, envahissant ou paralysant, vient du faux moi. La véritable culpabilité, qui découle du péché personnel ou de l'injustice sociale dont nous sommes les victimes, ne conduit pas au découragement mais à l'amendement de notre vie. C'est un appel à la conversion.

21. Accepter inconditionnellement l'autre, à commencer par ceux avec lesquels nous vivons, est le signe que nous progressons spirituellement.

22. Tout au long de la vie spirituelle, une communauté de foi encourage par l'exemple, par les observations et par le respect mutuel. Par-dessus tout, la participation au mystère du Christ dans la célébration de la liturgie — l'Eucharistie — et la prière silencieuse soudent la communauté dans une recherche commune de la transformation de soi et de l'union avec Dieu. La présence du Christ se transmet mutuellement et devient tangible, en particulier lorsque la communauté est rassemblée pour prier ou participe à un travail dont le but est de servir ceux qui sont dans le besoin.

23. Notre activité est dirigée par des pulsions naturelles visant à assurer notre survie et notre sécurité, à rechercher l'affection et l'estime, le pouvoir et la puissance. Modérer ces pulsions nous permet de les considérer sous un angle nouveau et dans une perspective plus juste. Le plus important de ces besoins est l'intimité avec une ou plusieurs personnes.

Par intimité, j'entends le partage des pensées, des sentiments, des problèmes et des aspirations spirituelles, qui se transforme peu à peu en une amitié spirituelle.

24. L'amitié spirituelle — qui suppose une ouverture authentique de soi — est un élément essentiel du bonheur, qu'il s'agisse de la vie conjugale ou du célibat. L'intimité avec une ou plusieurs personnes élargit et approfondit notre capacité de nous rapprocher de Dieu et de chaque personne que nous rencontrons. Sous l'influence de l'amour divin, toute cette énergie — même si elle est d'origine sexuelle — se transforme peu à peu en une compassion universelle.

25. Le rayonnement spirituel d'une communauté repose sur deux points : l'engagement de chacun à poursuivre son itinéraire spirituel et à se sentir mutuellement responsables. Pouvoir s'offrir les uns les autres un espace dans lequel grandir en tant que personne fait partie intégrante de cet engagement.

26. La prière contemplative, dans son sens traditionnel, est la dynamique qui amorce et accompagne le processus de transformation et permet de le mener à bonne fin.

27. La réflexion sur la Parole de Dieu dans l'Écriture et dans notre histoire personnelle est la base de la prière contemplative. Dans cette prière, laisser aller spontanément les pensées et les sentiments particuliers est un signe de progression. La prière contemplative se caractérise moins par une absence de pensées et de sentiments que par le fait de s'en détacher.

28. L'objectif d'un véritable exercice spirituel n'est pas le rejet des bons côtés du corps, de l'esprit et du cœur, mais leur

bon usage. Aucun aspect de la nature humaine, aucune période de la vie ne doivent être rejetés, mais au contraire intégrés dans le déploiement progressif de la conscience de soi. On préserve ainsi la part de bonté propre à chaque stade du développement de la personne et on laisse de côté ses limitations. On ne devient donc divin qu'en devenant pleinement humain.

29. Au début d'un itinéraire spirituel, la pratique d'une discipline est essentielle si l'on veut assurer les bases de la dimension contemplative de la vie : consécration et dévotion à Dieu d'une part, service des autres d'autre part. Notre pratique quotidienne doit comporter un temps de prière contemplative et un programme pour se libérer du faux moi.

30. Des périodes régulières de silence et de solitude apaisent la psyché, nourrissent le silence intérieur et amorcent la dynamique de la connaissance de soi.

 31. S'isoler n'est pas essentiellement se réfugier en un lieu, c'est une attitude d'engagement total envers Dieu. Lorsqu'on appartient totalement à Dieu, on ne cesse de partager sa propre vie et les dons qu'on a reçus.

32. La pauvreté de cœur proclamée dans les Béatitudes vient d'une conscience croissante de notre vrai moi. C'est une attitude non possessive envers tout et qui s'assortit d'un sentiment d'unité avec tout. La liberté intérieure d'avoir peu ou beaucoup, la simplification d'un style de vie en sont les signes révélateurs.

33. La chasteté se distingue du célibat ; c'est l'engagement de s'abstenir de l'expression physique de notre sexua-

lité. La chasteté est l'acceptation de notre énergie sexuelle, avec les qualités masculines et féminines qui l'accompagnent, et l'intégration de cette énergie dans notre spiritualité. C'est la pratique de la modération et de la maîtrise de soi dans ce domaine.

34. La chasteté accroît et étend le pouvoir d'aimer. Elle perçoit l'élément sacré de tout ce qui est. En conséquence, elle conduit à respecter la dignité de l'autre que l'on ne traite pas comme un simple objet pour sa propre satisfaction.

35. L'obéissance est l'acceptation inconditionnelle de Dieu tel qu'Il est et tel qu'Il se manifeste dans notre vie. La volonté de Dieu n'est pas immédiatement perçue. La docilité nous dispose à être attentifs à toutes les manifestations de Sa volonté. Cette attention permet de discerner, à la lumière de la grâce intérieure, ce que Dieu nous demande dans l'instant présent.

36. L'humilité est une attitude d'honnêteté totale vis-à-vis de Dieu, de soi et de toute la réalité. Elle nous permet d'être en paix tout en reconnaissant notre impuissance, et de trouver le repos dans l'oubli de soi.

37. L'espérance vient de l'expérience continuelle de la compassion et de l'aide de Dieu. La patience est l'espérance en pratique. C'est l'attente de l'aide salvatrice de Dieu, une attente permanente, inébranlable, obstinée.

38. La désintégration et la mort de notre faux moi sont notre participation à la passion et à la mort de Jésus. La construction de notre *nouveau moi*, fondée sur la puissance

transformatrice de l'amour divin, est notre participation à
Sa résurrection.

39. Au début, les obsessions émotionnelles constituent
le principal obstacle à la croissance de notre *nouveau moi*
parce qu'alors notre liberté est emprisonnée dans une cami-
sole de force. Plus tard, en raison de la satisfaction subtile
qui naît de la maîtrise de soi, c'est l'orgueil spirituel qui
devient le principal obstacle. Enfin, c'est la réflexion sur soi
qui le devient parce qu'elle entrave la pureté de l'union divine.

40. Tous nos efforts sont vains sans l'intervention de la
grâce à laquelle nous avons recours. Quel que soit le degré
d'union divine que nous puissions atteindre, il est sans commune mesure avec nos efforts. La grâce est le don pur et
simple de l'amour de Dieu.

41. Jésus n'a jamais donné de méthode précise pour médi-
ter ni aucune discipline physique pour modérer l'imagination, la mémoire et les émotions. Il nous faut donc choisir
un exercice spirituel adapté à notre tempérament et à nos
dispositions naturelles. Nous devons également être disposés à nous en passer lorsque l'Esprit nous demande de nous
abandonner à Lui et de Le suivre. L'Esprit étant au-dessus
de toute méthode ou de toute pratique, suivre Son inspiration est le chemin le plus sûr pour parvenir à la véritable
liberté.

42. Ce que Jésus a proposé à Ses disciples comme étant
la Voie, c'est Son propre exemple : pardonner tout à tous et
pourvoir aux besoins matériels et spirituels des autres.
« Aimez-vous les uns les autres comme Je vous ai aimés. »

Appendices

I. LA PRIÈRE ACTIVE

La prière active, à l'inverse du mot sacré — dont le but est de conduire au silence et qui sera donc bref (une ou deux syllabes) —, peut être un peu plus longue. Ce sera une petite phrase ou un énoncé de cinq à neuf syllabes, tiré de l'Écriture, qui nous inspirera et nous soutiendra tout au long de la journée. Sa répétition sera synchronisée avec le rythme des battements du cœur. Certains souhaitent avoir recours à plusieurs phrases de ce genre ; il est pourtant plus commode de n'en avoir qu'une si on veut qu'elle pénètre le subconscient. Le grand avantage de cette prière est que sa répétition finit par devenir, en quelque sorte, une «bande d'enregistrement», semblable à celles qui se créent lorsqu'on vit des émotions douloureuses. Si ce phénomène se produit réellement, elle effacera les vieilles bandes, fournissant ainsi une zone neutre dans laquelle le bon sens — ou l'Esprit de Dieu — peut suggérer ce qui doit être fait.

La prière active, ainsi conçue, doit être répétée encore et encore dans les moments libres afin de la faire pénétrer dans le subconscient. Les vieilles bandes ayant été constituées par des actes répétés, on peut fort bien procéder de la même façon pour créer une nouvelle bande. Il faudra parfois un an pour que la phrase choisie arrive jusqu'au subconscient. Elle se présentera alors d'elle-même à l'esprit et nous pourrons nous réveiller en la disant ou la retrouver dans nos rêves.

Commencez cet exercice spirituel sans appréhension, sans précipitation ni effort excessif. Ne vous faites aucun reproche si, certains jours, vous oubliez de le faire ; recommencez tout simplement. Ne répétez pas la phrase retenue lorsque votre esprit est occupé à autre chose — une conversation, une étude ou un travail exigeant une certaine concentration.

Voici quelques exemples de prière active.

Seigneur, viens à mon aide.

Dieu, hâte-Toi de me secourir.

Sainte-Marie, Mère de Dieu.

Demeure dans mon amour.

Mon Dieu et mon Tout.

Jésus, Seigneur, prends pitié.

Ô Christ, prends pitié

Kyrie eleison.

Veni Sancte Spiritus.

Gloria in excelsis Deo.

Donne-nous la paix.

Seigneur, prends pitié.

Je t'appartiens, ô Seigneur.

Âme du Christ, sanctifie-moi.

Reçois, Seigneur, tout ce que j'ai.

Bénis le Seigneur, ô mon âme.

Ouvre mon cœur à Ton amour.

Seigneur, je me donne à Toi.

✓Mon Seigneur et mon Dieu.

Corps du Christ, sauve-moi.

✓Seigneur, augmente ma foi.

Non pas ma volonté mais la Tienne.

Que Ton règne vienne.

Que Ta volonté soit faite.

Jésus, ma lumière et mon amour.

Puisse mon être louer le Seigneur.

Par Lui, avec Lui et en Lui.

Le nom du Seigneur est notre secours.

Esprit Saint, prie en moi.

Qu'il me soit fait selon Ta parole.

✓Parle, Seigneur, Ton serviteur écoute.

II. LE GROUPE HEBDOMADAIRE

Si d'ordinaire, l'oraison du silence intérieur est faite dans la solitude, un partage hebdomadaire, au sein d'un petit groupe (jusqu'à quinze personnes), s'est révélé un soutien très utile ainsi qu'un moyen de progresser. Cette rencontre est également un encouragement. En effet, le fait de savoir qu'on se retrouve chaque semaine nous pousse à persévérer, ou constitue une invitation à reprendre la pratique lorsque des circonstances — maladie, affaires, problèmes familiaux ou obligations urgentes — ne nous ont pas permis d'être fidèles à notre engagement quotidien. En partageant notre expérience avec d'autres, nous discernons mieux les aléas de la pratique de cette prière. Le groupe est une source de stimulation et peut, normalement, résoudre les problèmes qui risquent de se poser.

Voici une suggestion pour le déroulement de cette rencontre hebdomadaire.

Disposer les chaises en cercle.

1. Faire une lente marche méditative en silence, les uns derrière les autres, en cercle, autour de la pièce. Chaque nouvel arrivant entre au fur et à mesure dans le cercle. (Environ dix minutes.)

2. Lire un texte court de l'Office ou dire ou chanter une antienne. (De quatre à cinq minutes.)

3. Pour la période d'oraison proprement dite, choisir l'une de ces deux possibilités :
   a. un temps de vingt minutes, assis ;
   b. deux temps de vingt minutes, assis, séparés par une marche contemplative. Dans les deux cas, cette période se terminera soit par la récitation, très lentement, du *Notre Père* par le responsable, soit par deux minutes de silence, de façon à retourner progressivement au mode de pensée ordinaire.

4. *Lectio divina.* Au début, on pourra reprendre les directives données au chapitre XIII afin de constituer un fondement conceptuel pour l'oraison du silence intérieur. En groupe, voir comment chaque directive peut avoir un lien

avec l'expérience de vie de chacun. Vous pouvez également reprendre des textes de l'Écriture ou des extraits de livres sur la prière contemplative. Y réserver de trente à quarante-cinq minutes, et éviter toute discussion théologique, philosophique ou scripturaire.

L'objectif de la rencontre est le repos spirituel et l'encouragement mutuel.

III. UNE MÉDITATION

Nous commençons notre prière en y préparant le corps. Celui-ci sera détendu et calme, mais intérieurement en éveil.

La racine même de la prière est le silence intérieur. Il se peut que la prière soit pour nous l'expression verbale de pensées ou de sentiments ; mais ce n'est là qu'une forme d'expression. Prier en profondeur, c'est mettre les pensées de côté. C'est ouvrir l'esprit et le cœur, le corps et les sentiments — notre être tout entier — à Dieu, Mystère Ultime, au-delà des mots, des pensées et des émotions. Il ne faut ni y résister ni les supprimer, mais les accepter telles qu'elles sont et les dépasser, non avec effort, mais en les laissant toutes s'estomper et disparaître. Nous ouvrons ainsi notre conscience au Mystère Ultime dont nous savons par la foi qu'Il est en nous, plus proche que la respiration, plus proche que la pensée, plus proche que les choix possibles — plus proche que la conscience elle-même. Le Mystère Ultime est la Terre dans laquelle notre être est enraciné, la Source d'où émerge notre vie à chaque instant.

Nous sommes maintenant totalement présents, avec tout notre être, pleinement ouverts à Dieu, dans une prière profonde. Il n'y a plus ni passé ni présent, qui sont la marque même du temps. Nous sommes en présence du Mystère Ultime. Comme l'air que nous respirons, cette présence divine est autour de nous et en nous, distincte de nous mais jamais séparée de nous. Nous pouvons la ressentir comme nous tirant de l'intérieur, comme si elle touchait notre esprit et le pénétrait, ou nous transportant au-delà de nous-mêmes dans la pure conscience.

Nous nous abandonnons à l'attraction du silence intérieur, à la tranquillité et à la paix. Nous n'essayons ni de sentir quoi que ce soit, ni d'y réfléchir. Sans effort, sans tentative de quelque ordre que ce soit, nous nous immergeons dans cette présence, laissant disparaître tout le reste. Nous laissons parler uniquement l'Amour : le simple désir d'être un avec la Présence, d'oublier notre moi et de nous reposer dans le Mystère Ultime.

Cette Présence est vaste et pourtant humble, intimidante et pourtant douce, sans limite et pourtant intime, tendre et personnelle. Je *sais* que quelqu'un me *connaît*. Toute ma vie est transparente devant cette Présence qui sait tout de moi — mes faiblesses, mes déchirures, mon péché — et qui pourtant m'aime infiniment. Cette Présence guérit, renforce, réconforte, uniquement parce qu'Elle est. Elle est là, généreuse, ne portant aucun jugement, ne cherchant aucune récompense, manifestant une compassion infinie. C'est un peu comme si je revenais à la maison, chez moi, en un lieu que je n'aurais jamais dû quitter, comme si je revenais à une conscience qui avait toujours été là mais que je ne reconnaissais pas. Impossible de forcer cette conscience, ni de la provoquer ; c'est une porte qui s'ouvre en moi, mais de l'autre côté. Il me semble avoir déjà goûté auparavant la douceur mystérieuse de cette Présence enveloppante et pénétrante. C'est à la fois le vide et la plénitude.

Nous attendons patiemment, dans le silence, ouverts et attentifs, tranquilles, immobiles au-dedans comme au-dehors. Nous nous abandonnons à l'attrait d'être en paix, d'être aimés, tout simplement d'*être*.

Comme tout ce qui me bouleverse et me décourage est superficiel! Je prends la résolution d'abandonner les désirs qui déclenchent les émotions épuisantes. Ayant goûté la véritable paix, je peux les laisser toutes partir. Je vais trébucher, certes, et tomber car je connais ma faiblesse; mais je me relèverai aussitôt car mon objectif est clair. Je sais où *se trouve* ma maison.

IV. LES BASES DE L'ORAISON DU SILENCE INTÉRIEUR

Les données théologiques

Selon la grâce de la Pentecôte, Jésus ressuscité est parmi nous en tant que Christ glorifié. Le Christ vit en chacun de nous comme Celui qui éclaire, présent partout et en tout temps. Il est le Maître vivant qui envoie continuellement l'Esprit Saint pour habiter en nous et pour porter témoignage de Sa résurrection en nous donnant le pouvoir, dans la prière et dans l'action, de bénéficier des fruits de l'Esprit et des Béatitudes. (Voir «Fruits de l'Esprit» et «Béatitudes» dans le glossaire.)

La lectio divina

La *lectio divina* est la façon la plus classique de cultiver notre amitié pour le Christ. C'est une manière d'écouter les textes de l'Écriture, comme si nous étions en conversation avec Lui, conversation dont Il propose les sujets. La rencontre quotidienne avec le Christ et la réflexion sur Sa parole vont au-delà d'une simple relation et elles permettent d'aller jusqu'à l'amitié, la confiance, l'amour. La conversation se simplifie et fait place à une communion où, selon saint Grégoire le Grand (vi^e siècle), résumant la tradition contemplative chrétienne, on « se repose en Dieu ». Ce fut, pendant les seize premiers siècles, le sens reconnu de la prière contemplative.

La prière contemplative

La prière contemplative est l'expansion normale de la grâce du baptême et de la pratique régulière de la *lectio divina*. Il se peut que la prière soit pour nous l'expression verbale de pensées ou de sentiments ; mais ce n'est là qu'une forme d'expression. La prière contemplative c'est l'ouverture de l'esprit et du cœur — de notre être tout entier — à Dieu, Mystère Ultime, au-delà des mots, des pensées et des émotions. Nous ouvrons notre conscience à Dieu dont nous savons par la foi qu'Il est en nous, plus proche que la respiration, plus proche que la pensée, plus proche que les décisions prises — plus proche que la conscience elle-même. La prière contemplative est un processus de purification intérieure conduisant, si nous y consentons, à l'union divine.

L'oraison du silence intérieur

L'oraison du silence intérieur est une méthode conçue pour approfondir la relation avec le Christ ébauchée dans la *lectio divina* et pour faciliter le développement de la prière contemplative en préparant nos facultés à coopérer avec ce don. Elle veut présenter l'enseignement des siècles passés (*Le Nuage d'inconnaissance,* par exemple) sous une forme moderne et y donner, en quelque sorte, ordre et méthode. Elle ne vise pas à se substituer à d'autres types de prière ; elle les replace simplement dans une perspective d'ensemble et nouvelle. Durant le temps de prière, nous consentons à la présence et à l'action de Dieu en nous. À d'autres moments, notre attention se tournera vers l'extérieur pour découvrir la présence de Dieu partout ailleurs.

Directives

1. Choisir un mot sacré comme symbole de notre intention de consentir à la présence et à l'action de Dieu en nous.

2. S'asseoir confortablement, les yeux clos ; prendre quelques minutes pour s'apaiser et introduire silencieusement le mot sacré comme le symbole de notre consentement à la présence et à l'action de Dieu en nous.

3. Lorsque nous avons conscience que des pensées nous viennent à l'esprit, retourner au mot sacré avec la plus grande douceur.

4. À la fin du temps de prière, rester en silence, les yeux clos, pendant quelques minutes.

Explication des directives

1. « Choisir un mot sacré comme symbole de notre intention de consentir à la présence et à l'action de Dieu en nous. » (Voir chapitre v.)

a. Le mot sacré exprime notre intention d'être en présence de Dieu et de Le laisser agir en nous.

b. On choisira le mot sacré pendant une très courte période de prière en demandant à l'Esprit Saint de nous inspirer celui qui nous conviendra le mieux : Seigneur, Jésus, Abba, Père, Marie, ou encore amour, paix, *shalom*, silence.

c. Une fois le mot sacré choisi, nous n'en changeons pas durant le temps de prière car cette opération déclencherait à nouveau le processus ordinaire de la pensée.

d. Certains préféreront au mot sacré un simple regard intérieur vers Dieu. Dans ce cas, nous consentirons à la présence et à l'action de Dieu en nous tournant vers Lui intérieurement, comme pour Le contempler. Comment choisir ce « regard sacré » ? Les directives sont les mêmes que pour le mot sacré.

2. « S'asseoir confortablement, les yeux clos ; prendre quelques minutes pour s'apaiser et introduire silencieusement le mot sacré comme le symbole de notre consentement à la présence et à l'action de Dieu en nous. »

a. « S'asseoir confortablement » veut dire relativement confortablement : pas trop de façon à ne pas être poussé à s'assoupir, mais assez bien de façon à éviter de penser à une éventuelle gêne physique durant l'oraison.

b. Quelle que soit la position assise adoptée, le dos doit rester droit.

c. Si nous nous assoupissons quelques instants, nous

pouvons prolonger un peu l'oraison après être reve-
nus à l'état d'éveil.

d. Après un repas principal, l'oraison du silence intérieur favoriserait la somnolence. Il est donc préférable d'attendre au moins une heure avant de se
mettre à prier. De même, prier ainsi juste avant d'aller se coucher risque de perturber le sommeil.

e. Nous fermons les yeux pour éliminer ce qui se
déroule autour de nous.

f. Nous introduisons le mot sacré en nous avec autant
de douceur que si l'on déposait un pétale sur un lit
de plume.

3. « Lorsque nous avons conscience que des pensées nous
viennent à l'esprit, retourner au mot sacré avec la plus grande
douceur. »

a. Le mot « pensée » est un terme générique qui désigne
toutes sortes de perceptions — perceptions sensorielles, sentiments, images, souvenirs, réflexions et
observations.

b. Les pensées sont une partie normale de l'oraison du
silence intérieur.

c. En retournant « au mot sacré avec la plus grande
douceur », il faut faire, malgré tout, un petit effort ;
c'est, pourtant, la seule activité à laquelle nous nous
livrons pendant le temps de prière.

d. Durant la prière, le mot sacré peut devenir flou et
même disparaître.

4. « À la fin du temps de prière, rester en silence, les yeux
clos, pendant quelques minutes. »

a. S'il s'agit d'une oraison en groupe, le responsable pourra réciter lentement le *Notre Père*, durant ces deux ou trois minutes, pendant que les autres écoutent.

b. Ces deux ou trois minutes donnent à la psyché le temps de réadapter les sens au monde extérieur et permettent d'infuser la plénitude de ce silence dans la vie quotidienne.

Quelques points pratiques

1. Pour ce type de prière, le temps minimal est de vingt minutes. On recommande deux périodes chaque jour, une dès le matin, et une dans l'après-midi ou au début de la soirée.

2. Pour marquer la fin d'une oraison, on peut utiliser une minuterie, dans la mesure où on n'entend pas le tic-tac et où elle ne s'arrête pas avec une sonnerie bruyante.

3. Les principaux effets de cette oraison se remarquent dans la vie quotidienne, non pendant l'oraison proprement dite.

4. Les manifestations physiques

a. Vous remarquerez peut-être de légères douleurs, des démangeaisons ou de légères contractions musculaires dans différentes parties du corps, ou encore une nervosité généralisée. Ces phénomènes sont généralement le signe que les nœuds émotionnels du corps se défont.

b. Nous pouvons également remarquer une certaine lourdeur ou une certaine légèreté dans les extrémités. Ceci est généralement dû à un niveau profond d'attention spirituelle.

c. Dans l'un ou l'autre cas, n'y prêtez aucune attention,

ou encore pensez-y brièvement sans vous y attacher puis retournez au mot sacré.

5. La *lectio divina* est le fondement conceptuel de l'oraison du silence intérieur.

6. Il est plus facile de rester fidèle à son engagement de prière quotidienne quand on fait partie d'un groupe qui se réunit une fois par semaine pour prier et mettre en commun les expériences de chacun.

Pour prolonger les effets de l'oraison du silence intérieur dans la vie quotidienne

1. Pratiquer deux périodes d'oraison chaque jour.

2. Lire régulièrement les Écritures et les parties du présent livre qui traitent de la méthode.

3. Pratiquer un ou deux exercices spirituels spécifiques pour la vie quotidienne, tels qu'ils sont suggérés au chapitre XII.

4. Participer à un groupe d'oraison du silence intérieur ou à un programme de suivi (s'il en existe un dans votre région).

    a. La rencontre du groupe encourage les membres à persévérer lorsqu'ils sont seuls.

    b. Elle donne également l'occasion d'échanges réguliers plus approfondis grâce au visionnement de bandes, à des lectures et à des discussions.

Pour aller plus loin

1. Durant la période de prière, il faut distinguer les différents types de pensées auxquels il faut faire face (voir chapitres VI à X) :

   a. Les vagabondages ordinaires de l'imagination ou de la mémoire.

   b. Les pensées qui suscitent des attirances ou des aversions.

   c. Les brusques intuitions psychologiques.

   d. Les auto-réflexions du type « Je m'en sors bien ou mal ? » ou « Que cette paix est merveilleuse ! ».

   e. Les pensées entraînées par le déchargement de l'inconscient.

2. Durant cette prière, nous évitons d'analyser notre expérience, d'entretenir des espérances ou d'avoir des buts spécifiques, tels que :

   a. répéter continuellement le mot sacré ;

   b. n'avoir aucune pensée ;

   c. se vider l'esprit ;

   d. se sentir apaisé ou consolé ;

   e. vivre une expérience spirituelle.

3. Ce que n'est pas l'oraison du silence intérieur :

   a. Ce n'est pas une technique.

   b. Ce n'est pas un exercice de relaxation.

   c. Ce n'est pas une forme d'auto-hypnose.

   d. Ce n'est pas un don charismatique.

   e. Ce n'est pas un phénomène parapsychologique.

   f. Elle ne se limite pas à la présence « ressentie » de Dieu.

    g. Ce n'est ni une méditation discursive ni une orai-
       son affective.

4. Ce qu'est l'oraison du silence intérieur :
    a. C'est à la fois une relation avec Dieu et une disci-
       pline afin de nourrir cette relation.
    b. C'est un exercice de foi, d'espérance et d'amour.
    c. C'est un mouvement qui dépasse la conversation
       avec Dieu pour aller jusqu'à la communion.
    d. Elle nous habitue au langage de Dieu qui est le
       silence.

V. BREF HISTORIQUE DE « CONTEMPLATIVE OUTREACH »

L'oraison du silence intérieur

Durant les seize premiers siècles de l'histoire de l'Église, la prière contemplative fut l'objectif reconnu de la spiritualité chrétienne, pour le clergé comme pour les laïcs. Après la Réforme, ce patrimoine, au moins en tant que tradition vivante, fut virtuellement perdu. Aujourd'hui, au XXᵉ siècle, avec le dialogue entre les cultures et la recherche historique, nous redécouvrons la tradition contemplative chrétienne. Dans le contexte de la *lectio divina*, la méthode de l'oraison du silence intérieur participe à ce renouveau.

Dans les années 70, quelques trappistes de l'abbaye Saint-Joseph à Spencer (Massachusetts) poursuivirent cette recherche. En 1975, la pratique contemplative appelée «oraison du silence intérieur» d'après une œuvre classique du XIVᵉ siècle, *Le Nuage d'inconnaissance*, fut mise au point par les pères William Meninger et Basil Pennington. On proposa cette méthode de prière aux hôtes qui venaient à l'abbaye, d'abord aux prêtres puis aux laïcs. La réponse fut si encourageante qu'on organisa un nombre croissant d'ateliers de travail, puis le père Thomas Keating prépara un atelier perfectionné dans le but d'assurer la formation des formateurs.

Contemplative Outreach

En 1981, le père Keating abandonna sa fonction d'abbé de l'abbaye Saint-Joseph pour aller au monastère St. Benedict à Snowmass (Colorado). Il reçut alors de plus en plus de demandes pour vivre l'oraison du silence intérieur, ainsi que des demandes pour la vivre plus intensément. En 1983, eut lieu, à la Fondation Lama, à San Cristobal (Nouveau-Mexique), la première retraite intensive. Depuis lors, de telles retraites se déroulent au monastère St. Benedict de Snowmass et ailleurs. Chaque année ont lieu deux retraites d'enrichissement et des semaines de formation.

Organisation

Certaines régions manifestant un intérêt grandissant pour l'oraison du silence intérieur, on assista alors à la création de groupes locaux, ce qui ne tarda pas à exiger une certaine organisation.

C'est ainsi qu'en 1984 fut créée la société *Contemplative Outreach Ltd.* Son objectif était de coordonner les efforts visant à introduire la méthode de cette oraison auprès des personnes qui voulaient approfondir leur vie spirituelle et à proposer un réseau d'aide susceptible de les soutenir dans leur engagement. En 1986, on créait le bureau national de *Contemplative Outreach.*

Les communautés de vie

On compte actuellement trente-sept régions actives dans le monde entier. Chrysalis House, communauté de vie créée en 1985 à Warwick (New York), offre une formation à l'oraison du silence intérieur et une expérience de vie contemplative.

En France, quelques groupes pratiquent ce style d'oraison. On peut s'adresser au D.I.M. (Dialogue interreligieux monastique), 1, allée Saint-Benoît, 91450 Étiolles.

Pour plus de renseignements, s'adresser au bureau international de Contemplative Outreach Ltd., PO Box 737, 10, Park Place, Suite B2, Butler (New Jersey) 07405 ; ou, en France, à l'abbaye de Cîteaux, 21700 Saint-Nicolas-lès-Cîteaux (téléphone : 03-80-61-11-53).

Glossaire

Attention : concentration sur un sujet ou un objet particulier — parole de Dieu dans l'Écriture, respiration, image ou concept.

Attention spirituelle : attention totale et aimante à la présence de Dieu en pure foi, qu'il s'agisse de la Trinité conçue comme une entité ou d'une attention plus personnelle à l'une ou à l'autre des Personnes divines.

Béatitudes (Matthieu 5, 1-10) : la germination en nous des fruits de l'Esprit (voir cette dernière définition).

Conscience : acte d'être conscient d'une perception particulière ou générale.

Consentement : acte de la volonté exprimant l'acceptation de quelqu'un ou de quelque chose, ou encore un plan d'action ; manifestation de son intention.

Contemplation : synonyme de prière contemplative.

Contemplation apophatique-kataphatique : distinction trompeuse suggérant une opposition. En fait, une préparation adéquate des facultés (pratique kataphatique) conduit à la contemplation apophatique qui, à son tour, est soutenue par des pratiques kataphatiques appropriées.

Apophatique (côté sombre) : exercice de foi ; se reposer en Dieu au-delà des concepts et des actes particuliers, excepté pour maintenir une attention totale et aimante à la présence divine.

Kataphatique (côté clair) : exercice des facultés rationnelles éclairées par la foi ; réponse affective aux symboles, à la réflexion et au recours à la raison, à l'imagination et à la mémoire afin d'assimiler les vérités de la foi.

Déchargement de l'inconscient : remontée à la conscience d'un bagage émotionnel datant de la petite enfance et auparavant inconscient sous forme de sentiments primaires ou d'un déluge d'images, en particulier durant le temps d'oraison.

Dons de l'Esprit : *a*) dons spirituels ou « charismes » (I Cor. 12, 1-13) accordés principalement pour encourager la communauté chrétienne ; *b*) les sept dons de l'Esprit (Isaïe 11, 2) qui nous donnent le pouvoir de percevoir et de suivre les invitations de l'Esprit Saint à la fois dans notre prière et dans nos actions.

Extase : suspension temporaire, par action divine, des facultés de penser et de sentir, y compris parfois des sens externes, qui facilite l'expérience d'union avec Dieu.

Faux moi : moi développé à notre propre ressemblance et non à la ressemblance de Dieu ; image de nous-même qui s'est développée pour faire face aux traumatismes émotionnels de la petite enfance et qui recherche le bonheur en satisfaisant les besoins naturels (survie-sécurité, affection-estime, pouvoir-domination), et qui fonde sa propre valeur sur une identification à une culture ou à un groupe.

Fruits de l'Esprit (Galates 5, 22) : les neuf aspects de l'Esprit du Christ (charité, joie, paix, longanimité, serviabilité, bonté, confiance dans les autres, douceur, maîtrise de soi), signes de la croissance de la vie divine en nous.

Intention : choix de la volonté relatif à un certain objectif ou à un certain propos.

Lectio divina : lecture, ou plus exactement écoute, du livre que nous croyons être d'inspiration divine ; méthode la plus ancienne permettant d'établir une amitié avec le Christ en reprenant les textes de l'Écriture comme sujets de conversation avec Lui.

Marche contemplative : lente marche méditative durant de cinq à sept minutes et recommandée lorsqu'au moins deux temps d'oraison du silence intérieur ont lieu successivement. Son but est de dissiper la nervosité qui peut naître du fait que l'on reste dans la même position plus longtemps que de coutume, et de donner l'occasion d'associer la paix intérieure à une forme simple d'activité.

Méthode de la prière contemplative : toute pratique de la prière qui évolue spontanément ou est conçue délibérément pour libérer l'esprit des dépendances excessives de la pensée, en vue d'aller à Dieu.

Pratiques évoluant spontanément vers la contemplation — la *lectio divina*, la prière de Jésus, la vénération des icônes, le chapelet et la plupart des autres dévotions traditionnelles de l'Église.

Pratiques conçues intentionnellement pour faciliter la contemplation.

Concentratrice : prière de Jésus, mantra (répétition constante d'un mot ou d'une phrase), méthode de prière contemplative préconisée par dom John Main.

Réceptive : oraison du silence intérieur, prière du cœur, prière de la foi, prière de simplicité, prière du silence, prière du simple regard, recueillement actif, contemplation active.

Certaines pratiques sont plus concentratrices, et d'autres plus réceptives.

Mystère Ultime, Réalité Ultime : expression insistant sur la transcendance divine.

Mysticisme : synonyme de contemplation.

Oraison du silence intérieur : forme contemporaine de la prière du cœur, de la prière de simplicité, de la prière de foi, de la prière du « regard sacré ». Méthode permettant de réduire ce qui fait obstacle au don de la prière contemplative et de faciliter l'acquisition d'habitudes permettant d'accueillir pleinement les inspirations de l'Esprit.

Pensées : dans le contexte de la méthode particulière de l'oraison du silence intérieur, terme général recouvrant toutes les sortes de perceptions — perceptions sensorielles, sentiments, images, souvenirs, réflexions, observations et perceptions spirituelles particulières.

Prière contemplative : développement de sa relation avec le Christ jusqu'au point où l'on communie avec Lui au-delà des mots, des pensées, des sentiments et de la multiplication d'actes particuliers ; conduite permettant d'aller du simple respect de Dieu à la prédominance toujours croissante des dons de l'Esprit comme source de la prière.

Prière mystique : synonyme de prière contemplative.

Purification : partie essentielle de la contemplation qui permet d'éliminer les zones sombres de la personnalité, toute motivation qui n'est pas entièrement pure, et la douleur émotionnelle de toute une vie stockée dans l'inconscient. C'est le stade préalable et nécessaire à l'union transformante.

Silence intérieur : recueillement qui apaise l'imagination, les sentiments et les facultés rationnelles ; attention totale et aimante tournée vers Dieu en pure foi.

Transformation (union transformante) : conviction profonde de la présence constante de Dieu plutôt qu'une expérience ou une série d'expériences particulières ; restructuration de la conscience dans laquelle la réalité divine est perçue pour être présente dans le moi et dans tout ce qui existe.

Union divine : terme désignant une seule expérience de l'union en Dieu de toutes les facultés, ou l'état permanent d'union appelé union transformante.

Vie contemplative : dans la vie quotidienne, activité suscitée par les dons de l'Esprit ; fruit d'une attitude contemplative.

Vrai moi : image de Dieu à laquelle tout être humain est créé ; notre participation à la vie divine manifestée en chacun de nous personnellement.

Cet ouvrage a été réalisé par la
SOCIÉTÉ NOUVELLE FIRMIN-DIDOT
Mesnil-sur-l'Estrée
pour le compte des Éditions de La Table Ronde
en octobre 2000

Dépôt légal : novembre 2000
N° d'édition : 3296
N° d'impression : 52592

Imprimé en France